REFLEXOLOGÍA

para el dolor de espalda

Ann Gillanders

REFLEXOLOGÍA

para el dolor de espalda

*Soluciona tus problemas de espalda
de forma segura y eficaz*

aia *Ediciones*

COLECCIÓN CUERPO-ALMA

Los libros de Gaia celebran la visión de Gaia, la Tierra viva
y que se autoabastece, y pretenden ayudar a sus lectores a vivir
en una mejor armonía personal y planetaria

Editor	Jinny Johnson
Diseño	Phil Gamble
Fotografía	Ruth Jenkinson
Producción	Louise Hall
Dirección	Jo Godfrey Wood, Patrick Nugent
Edición española	Equipo editorial de Gaia Ediciones

Título original: *Reflexology for Back Pain*
Publicado originalmente en el Reino Unido en 2005
por Gaia Books, una división de Octopus Publishing Group Ltd.
2-4 Heron Quays, Docklands, Londres E14 4JP

© 2005 Octopus Publising Group Ltd.
Texto © 2005, Ann Guillanders

Traducción: Nora Steinbrun
Fotocomposición: Versal (Madrid)

De la presente edición española
© Gaia Ediciones, 2005
   Alquimia, 6
   28933 Móstoles (Madrid)
   Tels.: 91 614 53 46 / 58 49
   Fax: 91 618 40 12
   e-mail: contactos@alfaomega.es - www.alfaomega.es

ISBN: 84-8445-113-5

Primera edición en español: enero de 2006

Advertencia

Este libro no pretende, en ningún caso,
reemplazar la atención médica
cualificada. Antes de modificar tu
régimen sanitario, consulta siempre
a tu médico.

La reflexología es una terapia muy
segura, pero siempre es importante
solicitar asesoramiento facultativo
en cuanto surgen dudas sobre una
determinada afección. Evita tratar a
personas que estén padeciendo alguna
enfermedad grave, y siempre consulta a
un reflexólogo profesional antes de
comenzar un tratamiento en mujeres que
se encuentren en las catorce primeras
semanas de embarazo, en particular si
tienen antecedentes de aborto. Tanto la
aplicación de las ideas como la
información contenida en este libro
queda sujeta a criterio y riesgo del lector.

DEDICATORIA

A mi querido hijo Jonathan, cuyo nacimiento y subsiguientes
problemas de salud me guiaron hacia una profesión vinculada
al arte de curar, con la que jamás habría soñado.

Agradecimientos de la autora

Me gustaría agradecer a Jinny Johnson por su incansable ayuda
y gran capacidad en la edición del texto, y a Phil Gamble por
su aptitud para el diseño y su excelencia en el campo de la
fotografía. Los mapas de los pies fueron creados con el
asesoramiento de Jonathan Bispham (Londres), así que también
quiero darle las gracias por todo su trabajo.

ANN GILLANDERS

ÍNDICE

Acerca de este libro

Gracias a su sencilla aplicación y profundo poder relajante, la reflexología consigue que el cuerpo recupere la facultad de curarse a sí mismo. En efecto, el simple acto de presionar los puntos reflejos de los pies consigue eliminar obstrucciones en los canales energéticos del cuerpo y abrir otras vías para la curación natural.

Llevo más de treinta años practicando la reflexología. He tratado a miles de pacientes afectados de toda clase de dolencias, y también he capacitado a muchas personas en este campo. Al igual que muchos otros terapeutas, he observado que uno de los problemas que más debo tratar en la actualidad es el dolor de espalda, y sé que la reflexología consigue aliviar el sufrimiento de quienes padecen alguna de las múltiples afecciones que perjudican esta zona del cuerpo.

Con la ayuda de este libro no sólo aprenderás a aplicar la reflexología para aliviar el dolor de espalda, sino también para promover y favorecer el bienestar de aquellos a quienes tratas. ¿Te interesaría aprender reflexología con otra persona o un amigo para poder trataros mutuamente? ¿Alguno de tus familiares sufre una dolencia de espalda que te gustaría tratar? Independientemente de tu situación particular, lo cierto es que te resultará tan placentero aplicar el tratamiento reflexológico como recibirlo.

Ann Gillanders.

Ann Gillanders

LA REFLEXOLOGÍA Y EL DOLOR DE ESPALDA

La reflexología es un método de curación completamente seguro y eficaz, que consiste en aplicar presión sobre puntos reflejos específicos del pie, cada uno de los cuales se relaciona con un órgano o parte del cuerpo determinada (véanse páginas 22-29). Si padeces algún problema físico, los puntos reflejos de tus pies revelan cierta sensibilidad; en otras palabras, tus extremidades son capaces de contar una detallada historia sobre tu salud. Presionar adecuadamente un punto reflejo sensible produce un efecto estimulante en el sistema nervioso, que alivia del dolor, mejora el flujo nervioso y sanguíneo, normaliza las funciones corporales y, sobre todo, relaja el organismo, la mente y el espíritu.

Lados izquierdo y derecho

Todos los órganos de la mitad derecha del cuerpo se corresponden con puntos reflejos del pie derecho, y lo mismo sucede con la mitad corporal izquierda y el pie de dicho lado. Para tener una idea más precisa de esta división, imagina que una línea vertical recorre el centro de tu cuerpo, desde el extremo superior de la cabeza hasta la punta de los dedos de los pies.

La reflexología es una «medicina del alma» que llega a la raíz del problema físico o emocional que sufre el individuo, y lo trata de forma holística. El proceso de curación es sencillo, pero los humanos lo hemos complicado. Las necesidades básicas para curarnos son: agua limpia y fresca; aire puro; una dieta natural lo más exenta posible de aditivos, colorantes y conservantes; suficiente ejercicio físico, y algo de espacio para «perdernos» y alcanzar, así, la tranquilidad mental.

El organismo desea encontrarse bien. Se esfuerza mucho por conseguir el equilibrio y cuenta con notables poderes para protegerse de las enfermedades. De hecho, las obras del organismo humano son casi milagrosas.

Una terapia antigua

La reflexología, que cuenta con cientos de años de historia, es una terapia no invasiva que puede emplearse tanto para tratar a jóvenes como a personas mayores. En Saqqara (Egipto), junto a la denominada «Tumba del médico», se han hallado pinturas que muestran a individuos tratándose mutuamente mediante una terapia podal, lo cual indica que los beneficios terapéuticos de esta práctica ya eran conocidos en aquella época. La inscripción que aparece sobre ellas, reza así: «Agradecerás mis acciones.»

En el siglo IV de la era cristiana, los chinos ya utilizaban la reflexología como complemento de la acupuntura. El Dr. Wai Hong, facultativo de aquel período, descubrió que aplicar presión sobre los pies inmediatamente después de insertar las agujas contribuía a liberar energía y a optimizar la curación. La terapia fue introducida en Occidente, en los años treinta, por un fisioterapeuta norteamericano llamado Eunice Ingham, quien se enteró de la existencia de la reflexología a partir de antiguos mapas del pie y perfeccionó su uso para el mundo moderno.

¿Quién se beneficia con esta terapia?

La reflexología puede ayudar a personas de cualquier edad. Los ancianos, en particular, la consideran muy eficaz en el tratamiento de los dolores propios del reumatismo, la artritis, etc. Y aquellos que viven solos, y probablemente necesitan compañía, también se sienten muy a gusto gracias al sanador poder del contacto físico.

La reflexología puede ser aplicada junto con otras terapias, incluyendo la aromaterapia, el masaje, el shiatsu y la homeopatía. Si sigues las claras ilustraciones y explicaciones de este libro, alcanzarás suficiente

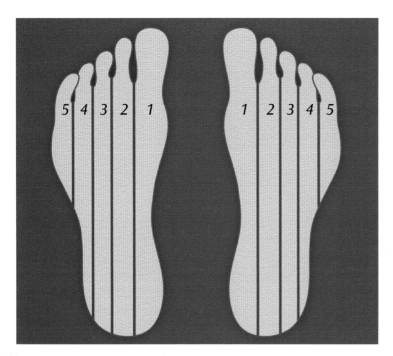

Zonas energéticas

Cada pie cuenta con cinco zonas energéticas, que se corresponden con sendas áreas situadas a ambos lados de la columna vertebral.

*Zona 1: Primer dedo
    (o gordo)
Zona 2: Segundo dedo
Zona 3: Tercer dedo
Zona 4: Cuarto dedo
Zona 5: Quinto dedo*

conocimiento y seguridad como para ayudar a tus amigos y seres queridos.

Zonas energéticas

Visualizar las zonas energéticas te ayudará a comprender cómo funciona la reflexología. Cinco pares de canales energéticos atraviesan el cuerpo, iniciando su recorrido en las manos y los pies, y ascendiendo desde allí hasta la cabeza. Se los numera del uno al cinco a cada lado de la columna. Los reflexólogos consideran que cualquier afección que interrumpe el flujo de la energía en una zona altera el sano funcionamiento de las partes del cuerpo que atraviesa. Así que, si presionas las diferentes áreas de los pies, toda la zona resultará estimulada y percibirás los efectos curativos de la terapia en todo el cuerpo.

La reflexología y el dolor de espalda

Reflexólogos y masajistas coinciden en que, por encima de cualquier otro problema de salud, lo que más tratan en sus consultas son las dolencias de espalda. La reflexología es una magnífica terapia para quienes padecen esta clase de problemas. Algunas de las afecciones que responden bien al tratamiento son, entre otras, la rigidez y la incapacidad, la ciática, el lumbago, la artritis, el latigazo cervical, la osteoporosis y las lesiones deportivas.

El dolor de espalda incapacitante afecta al 80 por 100 de las personas en algún momento de su vida. De hecho, después del dolor de cabeza, ocupa el segundo lugar entre las afecciones que más días de trabajo perdido generan, además de un continuo flujo de pacientes en las consultas médicas y en los hospitales.

Una de las razones por las que el dolor de espalda es tan frecuente, y crece cada día más, es que los humanos hemos crecido mucho en un período de tiempo relativamente corto. La estatura promedio de un adulto es 2,5 ó 3 cm superior a la de hace sesenta años.

En términos generales, cuanto más altos somos, más probabilidades tenemos de sufrir problemas de espalda, simplemente porque la columna debe soportar más peso. De hecho, una vez que alcanzamos una estatura de 1,80 m o más, deberíamos contar con el apoyo de nuestros dos extremos corporales, como los animales de cuatro patas, para evitar el dolor.

Los individuos de contextura física más robusta y moderada estatura no tienen tantos problemas con la espalda, porque su columna se «estira» menos; además, cuando existe más grasa corporal, el nivel de estrógeno asciende. El estrógeno ayuda a mantener la movilidad de las articulaciones y una buena proporción de calcio en los huesos.

El esqueleto humano

El esqueleto vivo es una fuerte estructura flexible compuesta por unos doscientos seis huesos, que constituye el marco del cuerpo y cumple cinco funciones principales: servir de apoyo, proteger a los órganos interiores, actuar junto con los músculos para permitir el movimiento y producir células sanguíneas, y almacenar y liberar minerales como el calcio y el fósforo.

El esqueleto puede dividirse en dos partes: el esqueleto axial y el esqueleto apendicular. El primero está compuesto por el cráneo, la columna vertebral, la caja torácica y el esternón, y constituye la estructura básica a la que se une el esqueleto apendicular —brazos y piernas— a través de la pelvis y los hombros. El anillo pélvico es particularmente fuerte y debe soportar todo el peso del cuerpo.

El esqueleto está compuesto por diferentes clases de huesos. Algunos son largos y se extienden desde la cadera hasta la rodilla y desde el hombro hasta el codo, mientras que otros son cortos, como los de los dedos de las manos y los pies; también los hay planos, como el cráneo, la escápula y los de la región pélvica, o de forma irregular, llamados vértebras, que forman la columna vertebral.

La columna, comparable a una hilera de carretes de algodón atados a una cuerda central, está compuesta por cinco grupos de vértebras: siete cervicales, doce torácicas, cinco lumbares, cinco sacras y cuatro coccígeas. Cada vértebra está cubierta por cartílago, y en el espacio que las separa observamos un espeso disco de cartílago fibroso con un centro compuesto por tejido blando. Estos discos situados entre las vértebras protegen cada articulación y actúan como amortiguadores de la columna.

Su estructura la hace sorprendentemente flexible; de hecho, podemos flexionar el cuerpo hacia delante, hacia atrás, a la derecha y a la izquierda; también rotamos la cabeza desde el cuello; miramos hacia el suelo o el techo…, y lo hacemos cientos de veces al día.

La base de la columna vertebral encaja en la pelvis gracias a la articulación sacroilíaca, que tiene forma de flecha y cuenta con el apoyo de fuertes músculos que se extienden a ambos lados de la columna, desde su base hasta su extremo superior. De ellos depende para protegerse aún más en caso de accidente o lesión.

Lesión discal

Cuando estos músculos pierden su tensión natural a causa del envejecimiento o la falta de movimiento, las articulaciones intervertebrales y los discos pueden sufrir un desplazamiento. Si se ha realizado un esfuerzo excesivo, la cubierta externa de alguno de estos amortiguadores puede romperse, y la blanda materia que rellena el disco sale entonces al exterior. En estos casos el dolor es muy intenso, y a esta afección se la llama, erróneamente, «dislocación discal».

Los discos por sí mismos no causan dolor porque no contienen nervios. Lo que provoca un gran malestar es el desplazamiento de los mismos, que deriva en la presión de las raíces nerviosas que surgen a ambos lados de la columna.

Los discos intervertebrales también se desgastan y estrechan cuando envejecemos, razón por la cual los ancianos presentan una altura inferior a la que tenían en su juventud: en efecto, han perdido el espacio situado entre las articulaciones de la columna. Y si ésta se encuentra en malas condiciones, uno de los discos puede resultar aplastado hasta desaparecer, convirtiéndose en un endurecido reborde cartilaginoso.

Cuando un disco degenera puede llegar a impedir la movilidad de las dos vértebras que debería estar separando, y esta situación genera la presión de una determinada raíz nerviosa, precisamente en el punto en el que ésta se aleja de la columna para dirigirse a otra parte del cuerpo. Dicha compresión provoca un dolor intenso que se extiende por la pierna: hablamos de la ciática.

Para mantener la salud de los discos debes ingerir al menos un gramo de calcio al día, además de una adecuada cantidad de vitaminas D, C y E. Para contribuir a la curación del tejido discal, necesitarás incrementar tu ingesta de vitamina E.

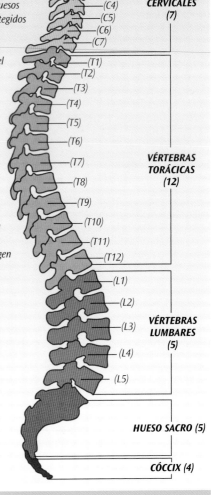

La columna y las vértebras

La columna, pilar central del cuerpo, es un armazón óseo flexible que se extiende desde la base del cráneo hasta el final de su estructura. Está compuesta por 26 huesos llamados vértebras, separados y protegidos por discos fibrosos rellenos de una sustancia gelatinosa.

La médula espinal, que pasa por el centro de las vértebras, se extiende desde el cerebro hasta la columna lumbar. Los pares de nervios que surgen desde la columna estimulan todas las funciones corporales.

Las curvas de la columna

Existen tres suaves curvas en la columna. Las secciones cervical y lumbar se tuercen ligeramente hacia delante, mientras que la torácica lo hace hacia atrás. Estas curvas protegen aún más a la columna de posibles impactos y caídas.

(C1)
(C2)
(C3)
(C4)
(C5)
(C6)
(C7)

VÉRTEBRAS CERVICALES (7)

(T1)
(T2)
(T3)
(T4)
(T5)
(T6)
(T7)
(T8)
(T9)
(T10)
(T11)
(T12)

VÉRTEBRAS TORÁCICAS (12)

(L1)
(L2)
(L3)
(L4)
(L5)

VÉRTEBRAS LUMBARES (5)

HUESO SACRO (5)

CÓCCIX (4)

Tipos y causas del dolor de espalda

Las dos principales causas del dolor de espalda son, en primer lugar, el sobreesfuerzo físico y sus efectos y, en segundo lugar, el deterioro de la columna debido a la edad o a una enfermedad como la artritis. Los embarazos o las malas posturas también pueden desencadenar problemas de espalda.

Siempre entra en calor

Para proteger la espalda de posibles lesiones, es importante realizar siempre algunos estiramientos suaves para entrar en calor antes de practicar un deporte o ejercicio muy intenso.

El esfuerzo físico

Los músculos cumplen la función de mover los huesos a los que están unidos, aunque también se ocupan de mantener firmes ciertas partes del cuerpo mientras otras se encuentran en movimiento. Por ejemplo, los músculos de la espalda mantienen el cuerpo estabilizado mientras movemos los brazos y las piernas. Los puntos en los que dos huesos se unen reciben el nombre de articulaciones y, en ellas, una serie de ligamentos actúan como conexión entre las dos masas óseas. Sin embargo, los ligamentos pueden desgarrarse y causar dolor si son sometidos a un gran esfuerzo.

Algunas de las causas más frecuentes del dolor de espalda son los traumatismos o el uso excesivo de tendones y músculos, que fácilmente resultan dañados. Las lesiones de los tendones son difíciles de curar, ya que su riego sanguíneo es mucho menor que el de los músculos. Si sientes un «tirón» en un músculo, es probable que alguna de sus fibras musculares se haya desgarrado, situación bastante frecuente en el caso del hombro. El problema suele desencadenarse cuando un individuo levanta grandes pesos de forma incorrecta; a partir de entonces nota que le cuesta elevar el brazo o rotarlo en cualquier dirección, y sus molestias continúan hasta que la inflamación se alivia y la zona dañada se cura.

Artritis reumatoide

La artritis reumatoide y la osteoartritis son similares porque provocan dolor, incapacidad y generalmente deforman alguna extremidad; sin embargo, sus causas son diferentes. La artritis reumatoide es una enfermedad autoinmune, mientras que la osteoartritis suele originarse en el deterioro de las articulaciones y es muy frecuente entre los ancianos. La reflexología resulta beneficiosa en ambas afecciones, ya que disminuye los niveles de dolor y alivia la inflamación crónica, estimulando al organismo a curarse por sí solo.

La artritis reumatoide es una de las más frecuentes enfermedades de incapacitación a largo plazo. Por lo general, afecta a las articulaciones menores, en particular las de las manos, las muñecas y los pies, pero también puede actuar sobre las de la columna. La mayoría de las personas que padecen esta dolencia comienzan a percibir dolor y falta de movilidad en el cuello, hasta que posteriormente estas sensaciones se irradian hacia la columna, que es la última zona afectada.

En condiciones normales, el sistema inmune ayuda a proteger al individuo de la invasión de enfermedades infecciosas; sin embargo, en el caso de la artritis reumatoide actúa al revés: ataca a las articulaciones, centrándose particularmente en su revestimiento, compuesto por membranas sinoviales que permiten que las articulaciones y los huesos se muevan con facilidad.

Los primeros indicios de artritis reumatoide pueden ser la aparición de fiebre repentina con sintomatología similar a la de la gripe: temperatura, dolor en las articulaciones, depresión y una sensación general de debilidad. Quienes padecen esta enfermedad suelen sentirse exhaustos y tensos. La afección puede desarrollarse durante semanas o meses, si bien en ciertos casos se «extingue»: los síntomas desaparecen, pero pueden permanecer latentes durante años.

Las mujeres son más proclives a sufrir esta enfermedad, posiblemente debido a algún factor genético transportado por las hormonas sexuales femeninas. También tienes más probabilidades de sufrir

Hierbas para la artritis reumatoide

Muchas hierbas ejercen una significativa acción antiinflamatoria y, por consiguiente, resultan de gran utilidad en el tratamiento de la artritis reumatoide.

■ *La planta llamada «feverfew» ha sido utilizada durante mucho tiempo en el tratamiento de la fiebre, la artritis y la migraña. Reduce la inflamación.*

■ *La curcumina, que es el pigmento amarillo de la cúrcuma, también provoca una notable acción antiinflamatoria.*

■ *El ginseng coreano alivia parte de la fatiga mental y física asociada a la enfermedad.*

■ *El harpagofito («garra del diablo») parece aliviar el dolor de las articulaciones.*

esta enfermedad si tus padres, abuelos, hermanas o hermanos la padecen. La artritis reumatoide no es una dolencia de «viejos», ya que generalmente afecta a personas de entre treinta y sesenta años de edad.

En términos generales, la artritis reumatoide no se observa en aquellas sociedades que consumen alimentos «primitivos» menos refinados, aunque sí es más frecuente en los grupos sociales que siguen la llamada «dieta occidental». Tiende a ser más grave entre los habitantes del norte de Europa, pero en realidad nadie sabe con certeza si su factor desencadenante son las condiciones climáticas, los factores genéticos o una infección localizada.

En la mayoría de los pacientes se observan buenos resultados frente a una dieta rica en alimentos integrales, verduras y fibra, más una cantidad limitada de carne, azúcar, carbohidratos refinados y grasa saturada. También se han establecido ciertos vínculos con determinadas alergias alimentarias, más comúnmente al trigo, el maíz, la leche y otros productos lácteos, la carne vacuna y las plantas de la familia de la belladona (tomate, patata, berenjena, pimientos y tabaco). Consumir caballa, salmón, sardina y arenque contribuye a reducir la inflamación, aunque algunas personas prefieren tomar una dosis regular de aceite de hígado de bacalao. Las vitaminas C y E, al igual que el cinc y el selenio, también pueden favorecer el control de la enfermedad.

Los procedimientos ortodoxos para dominar el dolor y la rigidez son: la aspirina, en primera instancia, y varios analgésicos y fármacos antiinflamatorios que, desafortunadamente, ejercen un drástico efecto sobre el sistema digestivo. De todos modos, existen alternativas naturales capaces de aliviar el malestar.

Osteoartritis

La osteoartritis es una enfermedad degenerativa de las articulaciones que afecta principalmente a los ancianos. En efecto, diversos estudios han demostrado que el 80 por 100 de las personas de más de cincuenta años ya presentan algún grado de esta dolencia.

Por debajo de los cuarenta y cinco años, la osteoartritis es más frecuente entre los hombres; sin embargo, a partir de esa edad, su incidencia entre las mujeres se multiplica por diez.

Se trata de una enfermedad menos complicada que la artritis reumatoide y más fácil de controlar, pero una vez que la desarrollas te acompaña de por vida. Las más

La espalda en la infancia

La densidad ósea se determina en la infancia, por lo que una buena dieta y mucho ejercicio resulta en un esqueleto fuerte. Por el contrario, los malos hábitos pueden provocar problemas de espalda a edades sorprendentemente tempranas.

La enfermedad de Scheurman afecta a la columna y resulta cada vez más frecuente entre los niños. Provoca la compresión de las vértebras cuando los huesos son aún blandos, en particular durante los primeros años de la adolescencia, y causa dolor tanto en la columna cervical como en la lumbar.

Es posible que, en parte, la enfermedad esté incrementando su incidencia debido a la inapropiada dieta que siguen, cargada de grasa y azúcar y muy baja en fibra, y también al hecho de que en clase adoptan una mala postura al sentarse y cargan mochilas repletas de libros.

Los pequeños que padecen asma y deben tomar esteroides pierden parte del calcio de sus huesos. Los esteroides afectan la densidad ósea, al igual que muchos analgésicos y antidepresivos.

Los niños diabéticos o que sufren artritis presentan mayor incidencia de osteoporosis durante la edad adulta.

afectadas son las articulaciones que cargan peso —la cadera, las rodillas y, en especial, la columna—, aunque, a medida que la enfermedad avanza, también sufren las manos y los pies. Afortunadamente, debido a los grandes avances de la cirugía, los reemplazos de cadera y rodilla dan muy buenos resultados y los pacientes ganan años de movilidad si todas las otras alternativas de tratamiento ortodoxo o complementario han fallado.

El comienzo de la osteoartritis puede ser muy gradual. Por lo general, el primer síntoma es la rigidez de las articulaciones por la mañana. A medida que la dolencia avanza, el individuo siente dolor al moverse, que empeora con la actividad prolongada y remite con el descanso.

Dado que en la actualidad los seres humanos vivimos muchos más años, nuestras articulaciones están expuestas a un mayor desgaste; piensa en la cantidad de veces al día que mueves los brazos y las piernas al salir de la cama, ponerte de pie, andar, inclinarte, etc.

Lo peor que podemos hacer es coger sobrepeso; casi con certeza acabaremos dañando nuestras articulaciones. Lo mismo sucede con nuestro peso corporal: cuanto mayor es, más deben esforzarse todas nuestras articulaciones; y las de la cadera, las rodillas y los tobillos, que soportan la totalidad de la carga, son las primeras en sufrir las consecuencias. A medida que envejecemos, nuestros huesos se vuelven más delgados y cada vez les cuesta más soportar cualquier tipo de esfuerzo. El dolor —sin duda, el más incapacitante de los síntomas de la osteoartritis— puede oscilar entre un malestar difuso y persistente, y un dolor agudo y punzante. Lo fundamental, en cualquier caso, es no dejar de moverse: cuanto más tiempo permanezcas sentado, mayores serán la rigidez y el dolor.

Todos los suplementos dietarios, de hierbas y minerales mencionados para la artritis reumatoide son recomendables para el tratamiento del dolor propio de la osteoartrosis.

Ciática

Afecta la cadera, la nalga, la pierna y la cara posterior del muslo, y el dolor puede incluso irradiarse hasta el tobillo. De hecho, la ciática es una de las formas más graves de dolor de espalda. La causa es, en la mayoría de los casos, el desgaste de los discos de la columna lumbar.

Debido a que el nervio ciático es el más extenso del cuerpo (y tan ancho como el dedo meñique), resulta muy difícil calmarlo una vez que se inflama. Las compresas de hielo (véase página 82), aplicadas sobre el área dolorida varias veces al día, resultan muy beneficiosas.

Otras causas de dolor de espalda
Levantar peso

Si te inclinas para levantar peso sin flexionar las rodillas, la columna lumbar se esfuerza en exceso. Lo que importa no es lo que levantas, sino cómo lo haces. Siempre flexiona las rodillas.

¿Te duele la espalda?

El dolor de espalda es una de las causas de absentismo laboral. Casi todo el mundo siente molestias en la espalda en algún momento de su vida.

Falta de ejercicio

Todos necesitamos hacer ejercicio para mantener los huesos en buenas condiciones. El movimiento mejora la capacidad de absorción de calcio, pero debe ser regular. Intenta caminar a paso ligero durante al menos veinte minutos diarios, y practica algún ejercicio de estiramiento y tonificación, tres veces a la semana, para evitar el dolor en el tercio inferior de la espalda.

Anorexia

Si has sufrido anorexia durante tu adolescencia, perderás masa ósea, al igual que si has seguido o sigues una dieta baja en calorías durante mucho tiempo. Con el paso de los años, la disminución de la densidad ósea te provocará dolor de espalda.

Exceso de ejercicio

Algunas jóvenes que se dedican a la danza y al atletismo entrenan tan exhaustivamente que sus períodos menstruales se detienen durante algún tiempo. Estas mujeres son particularmente susceptibles a sufrir fracturas y dolor de espalda con el paso de los años, ya que su normal equilibrio entre estrógeno y progesterona ha resultado gravemente alterado.

Problemas ginecológicos

El dolor de espalda suele ocultar algún problema ginecológico. Por ejemplo, las mujeres que han tenido diversos embarazos pueden sufrir el prolapso de la pared vaginal, lo cual suele derivar en dolor de espalda con el paso del tiempo. Consulta a tu médico acerca de las posibles razones de tu dolor de espalda.

Consejos para aliviar el dolor de espalda

■ Si sufres dolor de espalda por la noche, y te despiertas después de unas horas con una intensa molestia en el tercio inferior de la misma, intenta dormir de lado y elevando las rodillas todo lo que puedas. Así estirarás la zona lumbar.

■ Otro truco consiste en tomar una infusión de camomila con miel antes de acostarte, y evitar los alimentos muy salados. La sal estimula las glándulas suprarrenales, que pueden irritar los músculos y provocar dolor.

■ Un antiguo pero eficaz remedio para el dolor de espalda consiste en tomar un baño con sales Epsom. Echa dos cucharadas colmadas en el agua de la bañera, y así conseguirás abrir los poros y reducir la inflamación. Siempre acuéstate inmediatamente después del baño, para evitar los enfriamientos.

■ Las hojas de lechuga también figuran entre los más antiguos remedios para el dolor debido a que contienen vestigios de opio. El efecto resulta aún más concentrado si preparas una sopa con abundante lechuga, una cebolla cortada y agua o caldo.

Cómo mantener la salud de la espalda

La postura

Tu forma de sentarte, mantenerte de pie y tumbarte repercute directamente sobre la salud de tu espalda.

■ Intenta no permanecer sentado en la misma posición durante mucho tiempo; lo ideal es que te levantes y muevas un poco a intervalos regulares.

Sentarse encorvado frente a un ordenador durante horas y horas también puede provocar dolor en los hombros, el cuello y los brazos. Si trabajas con ordenador, intenta sentarte directamente frente al monitor, con los ojos al nivel del aparato. Si constantemente miras hacia arriba mientras escribes, acabarás resintiendo los músculos del cuello, y esta situación, a su vez, no sólo puede provocarte dolor de espalda, sino también jaquecas.

■ Si tu trabajo consiste en conducir durante muchas horas al día y con frecuencia te duele la zona inferior de la espalda, busca un cojín pequeño en el que puedas apoyar la zona lumbar. El mercado ofrece muy buenos soportes lumbares ortopédicos, específicamente diseñados para este propósito.

■ Intenta caminar «estirado». Imagina que estás tratando de mantener algún objeto en equilibrio sobre tu cabeza.

■ Procura dormir en una cama cómoda que te proporcione un buen apoyo lumbar. Algunas personas notan que el hecho de colocar una tabla debajo del colchón les ayuda a mantener la columna recta y alivia sus molestias de espalda.

■ Dormir en una hamaca resulta sorprendentemente cómodo, ya que mantiene la columna en posición de semiflexión y ofrece máximo alivio; además, su suave balanceo de un lado a otro relaja la pelvis.

Utiliza calzado apropiado

El tipo de zapatos que usas afecta la salud de tu columna, en particular durante la adolescencia y los primeros años de la edad adulta.

Los de tacón excesivamente alto y punta muy marcada desplazan el peso corporal hacia los dedos de los pies, en lugar de centrarlo en las «plataformas» que sustentan el cuerpo: los talones. Esta postura tan forzada te inclina hacia delante e incrementa la presión sobre la columna lumbar. Los zapatos de tacón están muy bien para las ocasiones especiales, pero lo más conveniente es, en la medida de lo posible, usar un calzado plano, con suficiente espacio para que los dedos se muevan con libertad. Las zapatillas de deporte resultan muy cómodas para los pies y ayudan a mantener una buena postura.

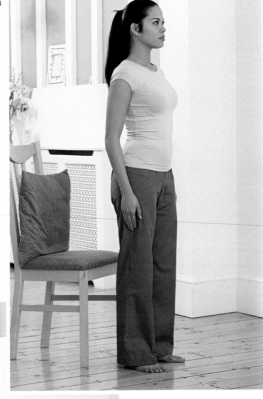

Posición erguida

Intenta mantenerte erguido mientras te encuentres de pie. Cuando camines, imagina que llevas un libro en la parte superior de la cabeza.

Posición de sentado

Elige una silla cómoda que proporcione buen apoyo a la columna. Siéntate con la espalda recta y la cabeza centrada en relación con la cadera. No te «hundas» en la silla.

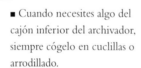

1. Ponte en cuclillas

Nunca te inclines hacia delante desde la cintura. Flexiona las rodillas, ponte en cuclillas en las proximidades del objeto, y cógelo de su base.

2. Elévate

Con la espalda recta, ponte de pie con cuidado utilizando la fuerza muscular de las piernas, y no de la espalda; a continuación, acerca el objeto a tu cuerpo.

Cuida tu espalda

Éstas son algunas de las reglas de oro para mantener la salud de la espalda:

■ Reduce la ingesta de café y alcohol, y deja de fumar. Las tres sustancias reducen la capacidad corporal de absorber calcio. El tabaco también afecta el riego sanguíneo hacia la columna.

■ Sigue una dieta con alto contenido de verduras y fruta, y poca cantidad de grasa y productos animales. Los vegetarianos suelen sufrir menos pérdida ósea que quienes comen carne.

■ Intenta perder algo de peso, si lo necesitas. Soportar kilos de más crea una presión constante sobre la espalda; si quieres comprobarlo, carga un saco grande de patatas durante unos minutos y notarás el estrés que sufrirá tu columna.

■ Procura andar bastante y con regularidad, y realiza algún ejercicio físico moderado al menos tres veces a la semana.

■ Consigue una mecedora. Su suave movimiento hacia delante y atrás suele resultar muy calmante y relaja la espalda cansada. Diversos experimentos han demostrado que la transmisión del dolor queda bloqueada mientras se mantiene el balanceo.

■ Cuando levantes algún objeto pesado, acerca tus pies a él todo lo que puedas, flexiona las rodillas y mantén los hombros echados hacia atrás. Esta forma segura de coger peso elimina la presión del tercio inferior de la columna.

■ Cuando necesites algo del cajón inferior del archivador, siempre cógelo en cuclillas o arrodillado.

■ Modifica la posición del asiento de tu coche. La mayoría de los asientos de los vehículos están mal diseñados y provocan miles de casos de dolor de espalda; por eso debes comprobar que el tuyo se encuentre en la posición correcta. Si lo alejas demasiado del volante, forzarás la columna y los músculos de los hombros. Lo ideal es que el asiento te permita acceder a los pedales con comodidad, sin que necesites estirarte. Cuando realices viajes muy prolongados, efectúa varias paradas a intervalos regulares, sal del coche y camina unos minutos.

Si tu vehículo no cuenta con reposacabezas, procura adquirir al menos uno para protegerte del latigazo cervical en caso de accidente.

■ Intenta no coger frío en la espalda. Durante los meses de invierno deberías cubrir la zona de la cintura de tus pantalones o falda con un jersey, a fin de que el área no quede expuesta al frío. Las bajas temperaturas pueden provocar que los músculos de la columna sufran un espasmo y, en consecuencia, se desencadene el dolor.

3. Ponte de pie en posición erguida

Erguido y de pie, mantén el objeto próximo a ti. La espalda debe permanecer recta y el cuerpo bien equilibrado, para no forzarla.

Alimentación para una espalda sana

La clave de la buena salud es la ingesta de alimentos naturales. Come abundante fruta y verdura fresca, así como legumbres, pan integral y arroz. Evita los alimentos fritos y procesados, que contienen un exceso de sal, grasas saturadas y conservantes artificiales. Evita tomar demasiado azúcar, ya que su consumo debilita el sistema inmune y reduce la densidad ósea.

Incrementa tu densidad ósea

Los adolescentes no destacan precisamente por pensar en el futuro, a pesar de que durante dicha etapa de su vida se determinan muchos factores de su salud, incluida la de los huesos. Practicar ejercicio físico y seguir una dieta sana con altos niveles de calcio reduce el riesgo de padecer problemas de espalda, osteoporosis y fracturas con el paso del tiempo.

Entre los veinte y los treinta y cinco años, damos por hecho que estamos sanos; sin embargo, se trata de un período en el que deben desarrollar un cuerpo sano para no sufrir problemas de espalda más adelante.

El ser humano continúa desarrollando sus huesos hasta alcanzar el pico máximo de masa ósea aproximadamente a los treinta y cinco años de edad. Obviamente, cuanto mayor sea la masa, menores serán las probabilidades de sufrir osteoporosis.

A medida que envejecemos, la densidad ósea comienza a reducirse; por dicha razón, si no hemos desarrollado bien nuestros huesos con anterioridad, comenzarán las dificultades. Nuestro metabolismo tiende a ralentizarse y, si no mantenemos una gran actividad física, el sobrepeso se convierte en un problema que puede empeorar notablemente el dolor de espalda. En realidad, si no se practica ejercicio físico con regularidad, es preciso reducir en unas 300 calorías diarias el consumo alimentario para mantener el peso adecuado.

Calcio y magnesio

El calcio es el más importante de los minerales que forman los huesos y los dientes. El cuerpo humano contiene un promedio de aproximadamente un kilogramo de calcio, y necesita un gramo diario para mantener ese nivel. Todos los productos lácteos lo contienen, pero son difíciles de digerir y a muchas personas les provocan problemas respiratorios y sinusales. Además, el exceso de proteínas en forma de leche, queso y mantequilla produce una pérdida diaria de calcio. Lo más conveniente, entonces, es ingerir calcio a través del consumo de sardinas, almendras, soja, garbanzos, brécol, espinacas y otras verduras de hoja verde.

El magnesio mejora el tono muscular, por lo que se convierte en un importante nutriente para la salud de la espalda. Lo encontramos en las verduras de hoja verde y los cereales integrales.

Evita los alimentos que provocan acidez

Ciertos alimentos incrementan la acidez de la sangre, y dicha situación provoca dolor de espalda. En los primeros lugares de la lista de estas sustancias figuran el alcohol, la carne roja, el exceso de azúcar y los productos confeccionados con harina blanca.

Consume bayas

Las bayas de color oscuro, como las del espino, las moras, los arándanos, las cerezas y las frambuesas, contienen flavonoides (concretamente, proantocianidinas y antocianidinas), que cuentan con una notable capacidad para estabilizar y fortalecer el colágeno en el organismo. Dado que éste representa la mayor estructura proteínica del hueso, es importante mantenerlo en niveles saludables.

SUPLEMENTOS VITAMÍNICOS Y MINERALES

Para favorecer la salud ósea, toma los siguientes suplementos.

Ingesta diaria recomendada:
Calcio: 1 g
Magnesio: 500 mg
Piridoxina: 100 mg
Ácido fólico: 1 mg
Vitamina B_{12}: 1 mg

Primeros pasos en reflexología

Cómo dar y recibir tratamiento

Tu pareja o amigo y tú podéis turnaros para dar y recibir tratamiento. Compartir tiempo y contacto físico con alguien cercano se convierte en una experiencia sanadora en sí misma y, además, resulta inmensamente reconfortante.

Lo ideal es llevar a cabo el tratamiento en una habitación cálida y agradable. El receptor deberá sentarse en una silla cómoda y elevar las piernas hasta apoyar los pies sobre un cojín situado en el regazo de la otra persona. Por lo demás, no necesitas ningún equipamiento especial: sólo tus manos. Si lo deseas, puedes aplicar un poco de crema hidratante sobre los pies, aunque no te excedas porque la piel te resultará demasiado resbaladiza. Nunca uses aceites, ya que impiden contactar adecuadamente con los puntos reflejos de los pies. Antes de iniciar un tratamiento, asegúrate de tener las manos limpias y las uñas cortas y bien limadas. Recuerda que las uñas largas o punzantes resultan muy incómodas para el receptor.

Técnicas básicas

En reflexología se utilizan cuatro técnicas básicas, denominadas deslizamiento con presión, rotación hacia fuera, rotación hacia dentro y fricción espinal.

Áreas del pie

Este diagrama muestra la relación entre las áreas del pie y las diferentes partes del cuerpo. Todos los puntos reflejos se sitúan en estas zonas.
A: Línea del diafragma
B: Línea de la cintura
C: Línea pélvica
D: Línea del ligamento
E: Línea del hombro

Experimenta con ellas y practícalas hasta que te sientas seguro de realizarlas correctamente.

El grado de presión que emplees durante el tratamiento dependerá del individuo, puesto que algunas personas prefieren más compresión que otras. En cualquier caso, la manipulación debe bastar para que el receptor sienta la reacción de los puntos reflejos, pero en ningún caso experimente dolor. Por lo general, las personas sanas suelen tolerar una presión más intensa que los ancianos o los enfermos.

Siempre trabaja, primero, sobre los puntos reflejos del pie derecho, y luego pasa a los del izquierdo. A menos que sigas otras indicaciones, trata cada área refleja dos veces, trabajando desde la cara medial a la lateral, y posteriormente de la lateral a la medial. Si el receptor padece dolor de espalda, resulta conveniente que reciba un tratamiento completo al menos dos veces a la semana.

La cara **plantar** del pie es su planta, es decir, la parte que apoyas en el suelo.

La cara **dorsal** es la parte superior del pie: el área que ves al mirar hacia abajo.

La cara **medial** es el borde interior del pie, que se alinea con el dedo gordo.

La cara **lateral** es el borde exterior del pie, que se alinea con el quinto dedo.

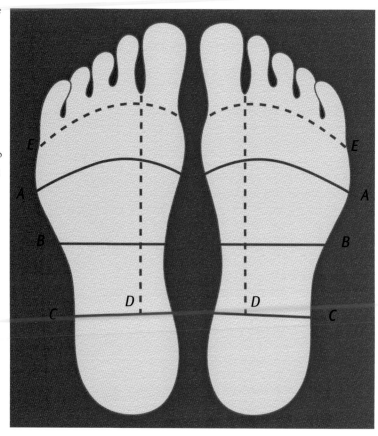

Deslizamiento con presión 1

En esta técnica debes desplazar el pulgar u otro dedo hacia delante, imitando el movimiento de la oruga. Mantén el pulgar flexionado y trabaja con la yema plana. Presiona ligeramente el borde exterior con el fin de evitar que la uña se clave en la carne.

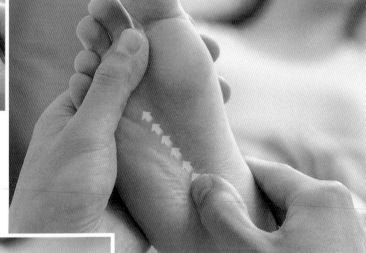

Deslizamiento con presión 2

Desplaza el pulgar por el pie con movimientos reducidos, lentos y metódicos.

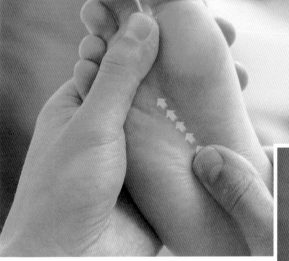

Deslizamiento con presión 3

Mientras mueves el pulgar, imagina que estás recorriendo un alfiletero cubierto de alfileres. Cada vez que levantes el dedo, avanza un poco más y presiona la superficie como si estuvieras clavando uno de los alfileres. Los movimientos deben ser lo más reducidos posible.

Deslizamiento con presión 4

El movimiento siempre se ejecuta hacia delante; nunca hacia atrás.

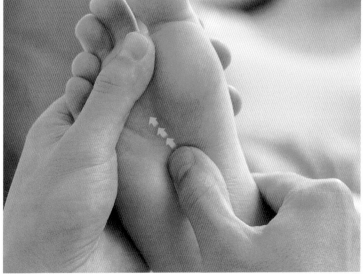

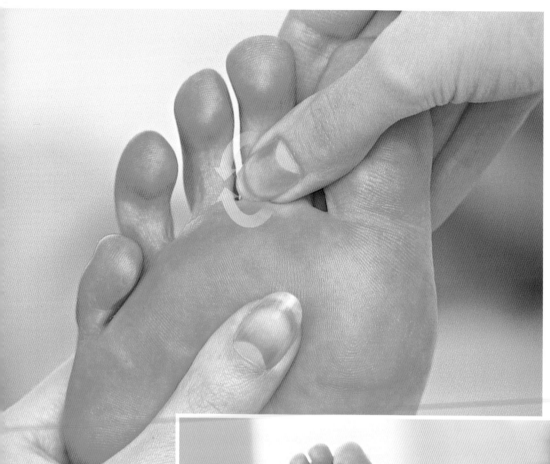

Rotación hacia dentro

Para aplicar esta técnica, apoya la parte plana del pulgar sobre el punto reflejo en el que deseas trabajar. Con un movimiento reducido pero firme, rota el pulgar hacia dentro, en dirección a la columna. Incrementarás el beneficio si mantienes la presión durante varios segundos.

Fricción espinal

Esta técnica especial ayuda a estimular y calentar la columna espinal. Apoya la palma de la mano sobre el borde interior del pie y friccíonalo intensamente hacia arriba y abajo.

Sujeción superior

Cuando trabajes sobre el pie derecho, sitúa tu mano izquierda sobre el tobillo, con el pulgar hacia fuera, y con la mano derecha gira el pie hacia dentro. Invierte la posición de las manos al iniciar el trabajo sobre el pie izquierdo.

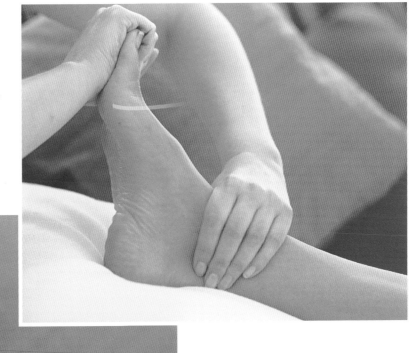

Sujeción inferior

Cuando trabajes sobre el pie derecho, apoya el talón sobre la palma de tu mano izquierda, y con la derecha gira el pie hacia dentro. Invierte la posición de las manos cuando pases al pie izquierdo.

Rotación hacia fuera

Esta técnica tiene la finalidad de estimular más intensamente la válvula ileocecal (la unión entre los intestinos delgado y grueso), localizada en el borde lateral del pie, próximo a la línea pélvica (véase página 18). Con el pulgar izquierdo, presiona este punto con firmeza; a continuación, empleando la parte plana del dedo, realiza un movimiento circular hacia fuera, imitando la forma de la letra jota («J»). Esta técnica también se emplea para trabajar los puntos reflejos de los ojos y los oídos.

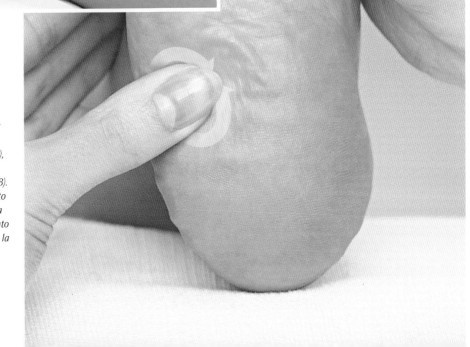

CARA PLANTAR DEL PIE

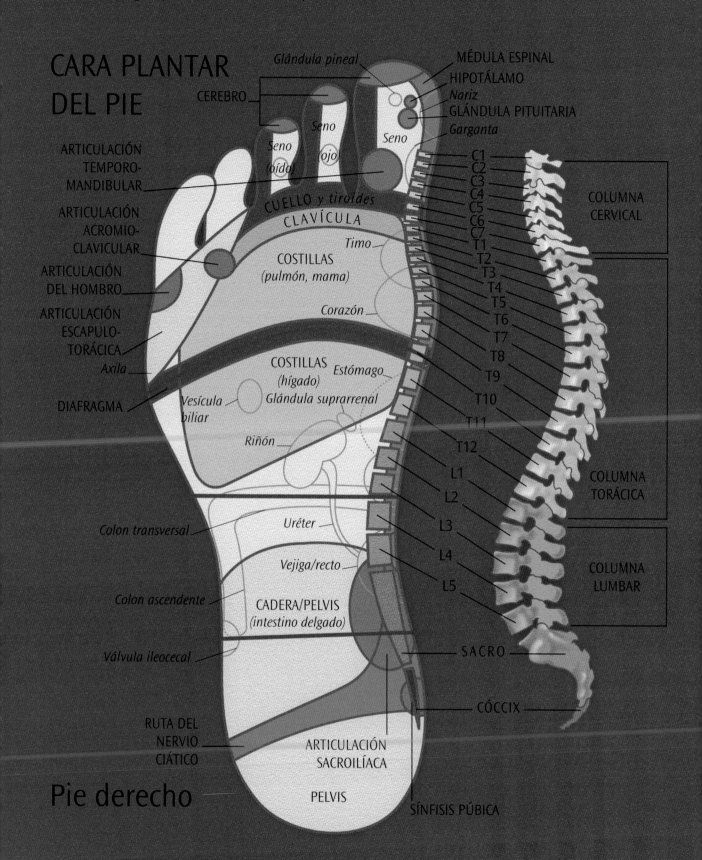

Glándula pineal

CEREBRO

Seno

Seno (ojo)

Seno (oído)

MÉDULA ESPINAL

HIPOTÁLAMO

Nariz

GLÁNDULA PITUITARIA

Garganta

Seno

ARTICULACIÓN TEMPORO-MANDIBULAR

ARTICULACIÓN ACROMIO-CLAVICULAR

ARTICULACIÓN DEL HOMBRO

ARTICULACIÓN ESCAPULO-TORÁCICA

Axila

DIAFRAGMA

CUELLO y tiroides

CLAVÍCULA

Timo

COSTILLAS (pulmón, mama)

Corazón

COSTILLAS (hígado)

Estómago

Glándula suprarrenal

Vesícula biliar

Riñón

Colon transversal

Uréter

Colon ascendente

Vejiga/recto

Válvula ileocecal

CADERA/PELVIS (intestino delgado)

RUTA DEL NERVIO CIÁTICO

ARTICULACIÓN SACROILÍACA

Pie derecho

PELVIS

SÍNFISIS PÚBICA

C1
C2
C3
C4
C5
C6
C7
T1
T2
T3
T4
T5
T6
T7
T8
T9
T10
T11
T12
L1
L2
L3
L4
L5

SACRO

CÓCCIX

COLUMNA CERVICAL

COLUMNA TORÁCICA

COLUMNA LUMBAR

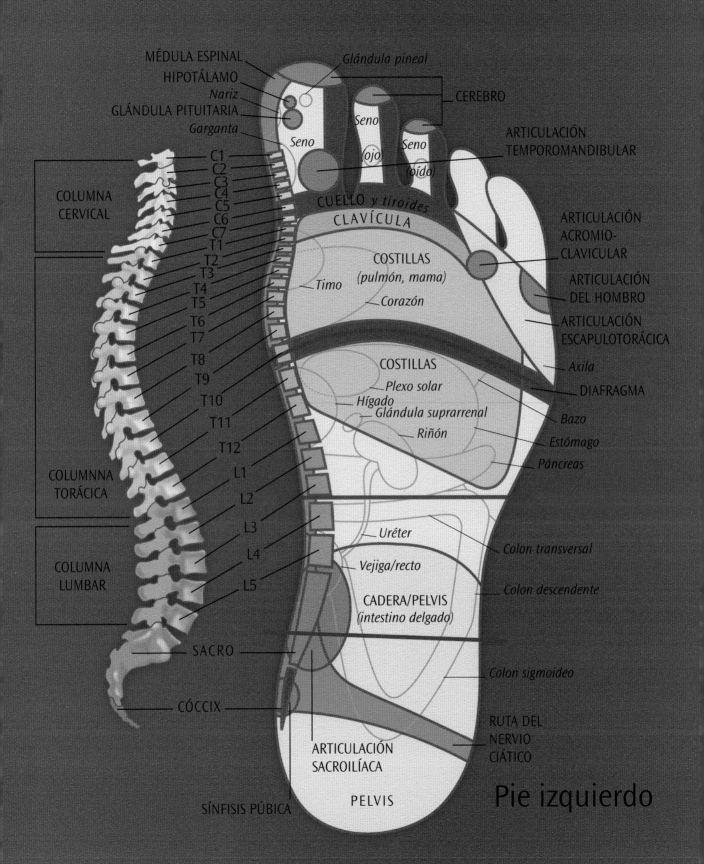

MÉDULA ESPINAL

HIPOTÁLAMO

Nariz

GLÁNDULA PITUITARIA

Garganta

Glándula pineal

CEREBRO

Seno

Seno

Seno (ojo)

Seno (oído)

ARTICULACIÓN TEMPOROMANDIBULAR

C1
C2
C3
C4
C5
C6
C7
T1
T2
T3
T4
T5
T6
T7
T8
T9
T10
T11
T12
L1
L2
L3
L4
L5

COLUMNA CERVICAL

COLUMNNA TORÁCICA

COLUMNA LUMBAR

CUELLO *y tiroides*

CLAVÍCULA

COSTILLAS
(pulmón, mama)

Timo

Corazón

COSTILLAS

Plexo solar

Hígado

Glándula suprarrenal

Riñón

ARTICULACIÓN ACROMIO-CLAVICULAR

ARTICULACIÓN DEL HOMBRO

ARTICULACIÓN ESCAPULOTORÁCICA

Axila

DIAFRAGMA

Bazo

Estómago

Páncreas

Uréter

Vejiga/recto

CADERA/PELVIS
(intestino delgado)

Colon transversal

Colon descendente

Colon sigmoideo

SACRO

CÓCCIX

ARTICULACIÓN SACROILÍACA

RUTA DEL NERVIO CIÁTICO

Pie izquierdo

SÍNFISIS PÚBICA

PELVIS

CARA DORSAL
DEL PIE

NERVIO TRIGÉMINO
(CRANEAL)

DIENTES

*Tráquea/
bronquios*

HOMBRO

Pulmón, mama

COSTILLAS

ESTERNÓN

ÁREA DE LA INGLE
NERVIO FEMORAL
MÚSCULO PSOAS
Trompas de Falopio
Vaso deferente

Pie izquierdo

NERVIO TRIGÉMINO
(CRANEAL)

DIENTES

Tráquea/
bronquios

ESTERNÓN

COSTILLAS

H O M B R O

Pulmón, mama

ÁREA DE LA INGLE
NERVIO FEMORAL
MÚSCULO PSOAS
Trompas de Falopio
Vaso deferente

Pie derecho

CARA MEDIAL
DEL PIE

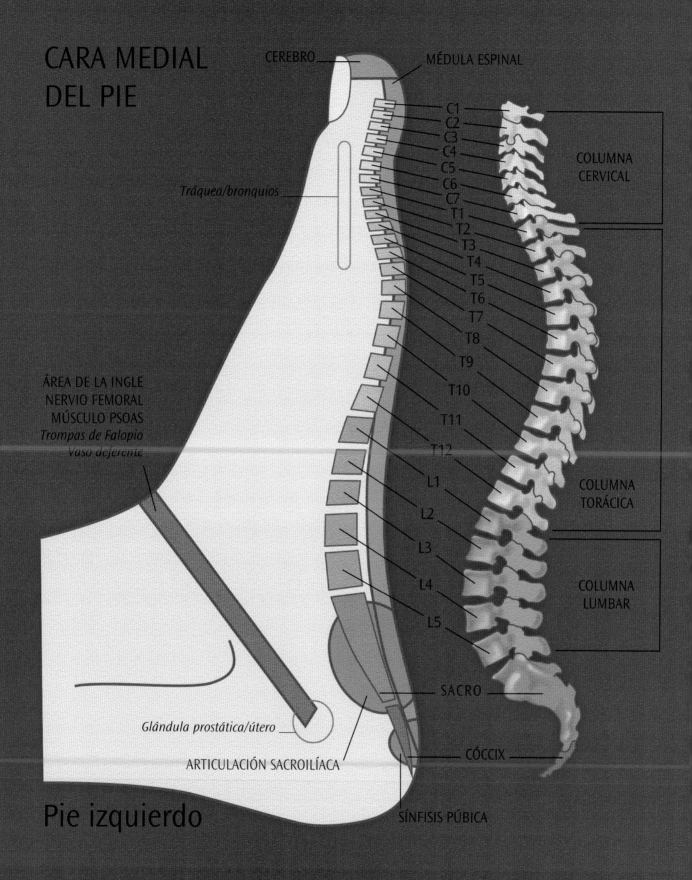

CEREBRO

MÉDULA ESPINAL

C1
C2
C3
C4
C5
C6
C7
T1
T2
T3
T4
T5
T6
T7
T8
T9
T10
T11
T12
L1
L2
L3
L4
L5

COLUMNA CERVICAL

COLUMNA TORÁCICA

COLUMNA LUMBAR

Tráquea/bronquios

ÁREA DE LA INGLE
NERVIO FEMORAL
MÚSCULO PSOAS
Trompas de Falopio
Vaso deferente

Glándula prostática/útero

ARTICULACIÓN SACROILÍACA

SACRO

CÓCCIX

SÍNFISIS PÚBICA

Pie izquierdo

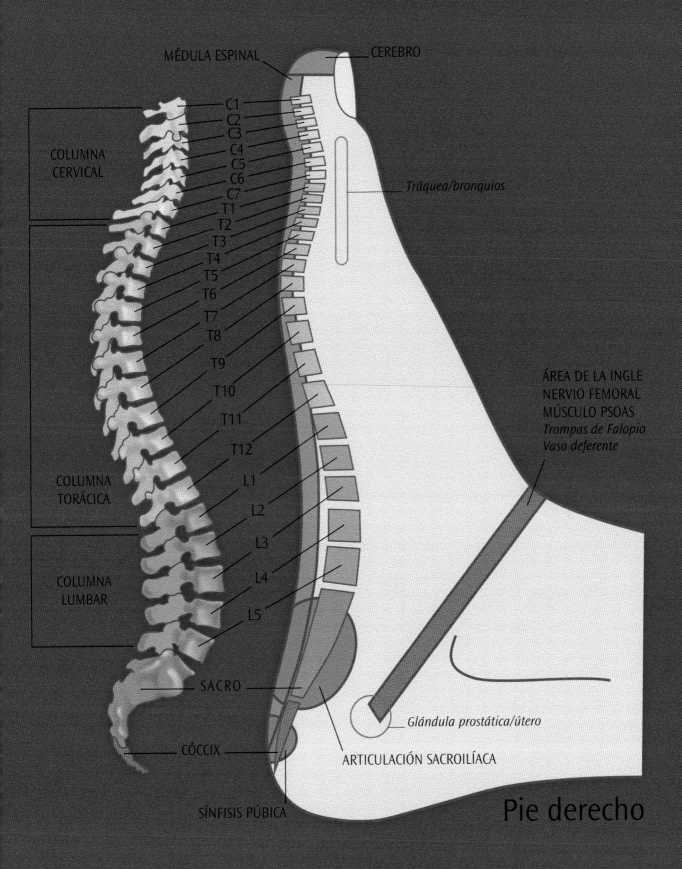

MÉDULA ESPINAL
CEREBRO
C1
C2
C3
C4
C5
C6
C7
T1
T2
T3
T4
T5
T6
T7
T8
T9
T10
T11
T12
L1
L2
L3
L4
L5
COLUMNA CERVICAL
COLUMNA TORÁCICA
COLUMNA LUMBAR
SACRO
CÓCCIX
SÍNFISIS PÚBICA
ARTICULACIÓN SACROILÍACA
Tráquea/bronquios
ÁREA DE LA INGLE
NERVIO FEMORAL
MÚSCULO PSOAS
Trompas de Falopio
Vaso deferente
Glándula prostática/útero

Pie derecho

CARA LATERAL
DEL PIE

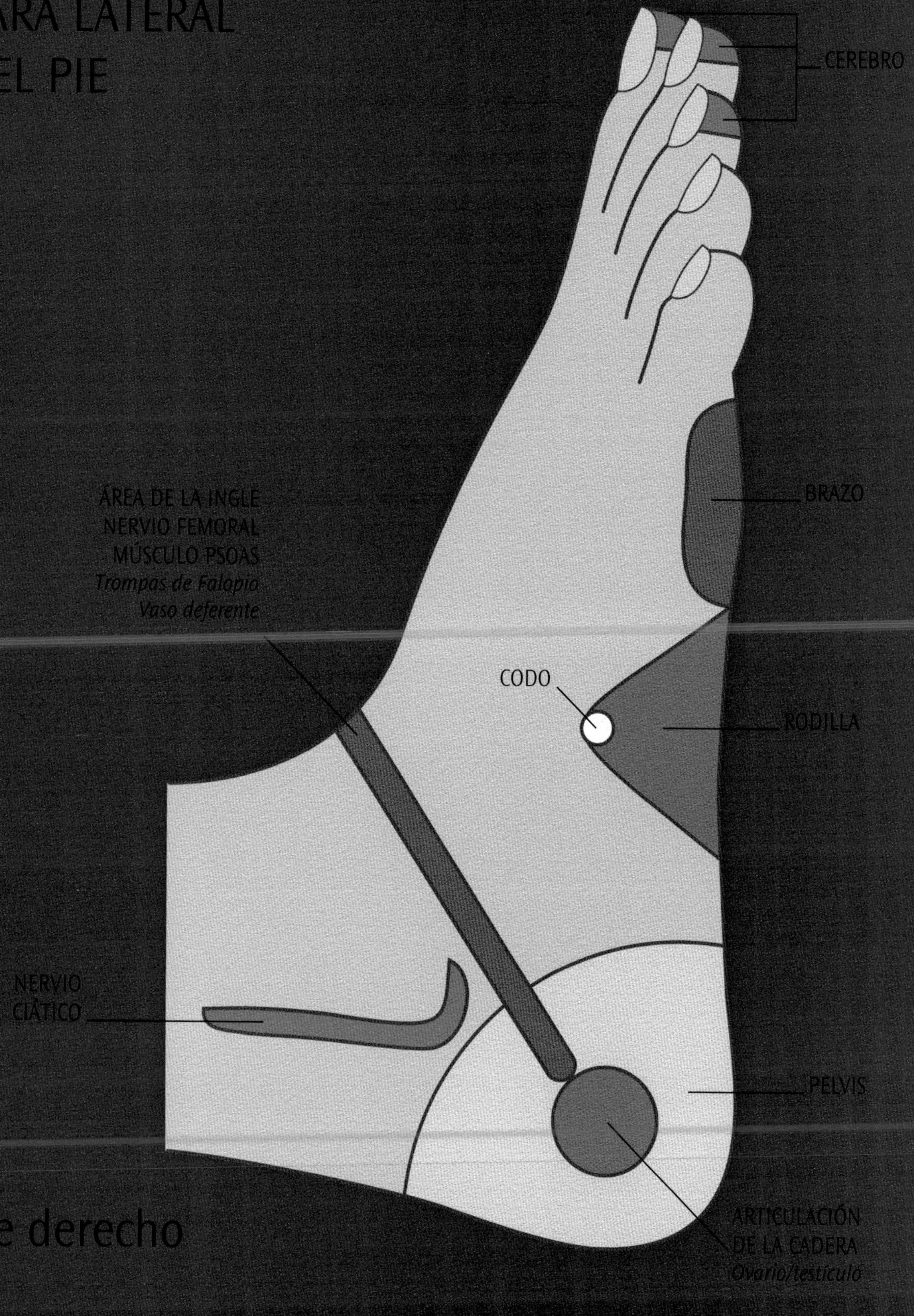

CEREBRO

ÁREA DE LA INGLE
NERVIO FEMORAL
MÚSCULO PSOAS
Trompas de Falopio
Vaso deferente

BRAZO

CODO

RODILLA

NERVIO
CIÁTICO

PELVIS

ARTICULACIÓN
DE LA CADERA
Ovario/testículo

Pie derecho

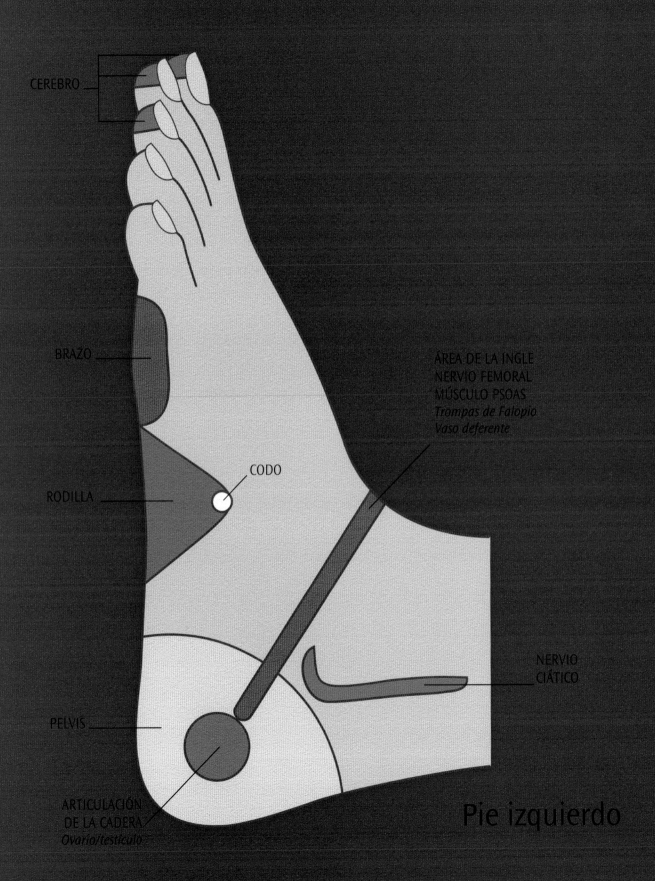

CEREBRO

BRAZO

RODILLA

PELVIS

ARTICULACIÓN
DE LA CADERA
Ovario/testículo

CODO

ÁREA DE LA INGLE
NERVIO FEMORAL
MÚSCULO PSOAS
Trompas de Falopio
Vaso deferente

NERVIO
CIÁTICO

Pie izquierdo

UNA SESIÓN PODAL COMPLETA

La reflexología es una terapia holística, así que cuando trates cualquier tipo de dolor de espalda debes comenzar por poner en práctica un tratamiento reflexológico completo para todo el cuerpo y, a continuación, trabajar sobre las áreas afectadas (véanse capítulos 3 a 8).

Un tratamiento completo consume aproximadamente cuarenta y cinco minutos. Se deben tratar ambos pies, independientemente de qué lado del cuerpo sufra dolor o se encuentre incapacitado. Siempre comienza por el pie derecho y completa toda la secuencia antes de tratar el izquierdo. Como norma, masajea dos veces cada área refleja. Si alguno de los puntos reflejos se encuentra sensible, repite el tratamiento sobre él.

Relajación del diafragma

Comenzando por el pie derecho, apoya el pulgar derecho sobre el inicio de la línea del diafragma (véase página 18). Ejerciendo presión, masajea toda la zona hasta el borde lateral mientras simultáneamente flexionas el pie sobre tu pulgar derecho (1).

Si la persona que recibe el tratamiento reflexológico se encuentra tensa y ansiosa, estos sentimientos se transmitirán a los pies, volviéndolos más sensibles y dificultando el trabajo sobre su superficie.

Quienes se inician en el campo de la reflexología posiblemente descubran que estos ejercicios representan una buena forma de acostumbrarse a manipular los pies de forma apropiada. También es posible aplicar los ejercicios de relajación en caso de que se perciba una sensibilidad particular en los pies, o repetir dos o tres de ellos en la sesión de reflexología.

Pide al receptor del tratamiento que se siente en una silla o en una tumbona, con los pies apoyados sobre un cojín grande situado en tu regazo. Algunas personas prefieren que la sesión transcurra en silencio; para otras, los minutos destinados al masaje se convierten en una buena ocasión para conversar y manifestar verbalmente sus preocupaciones. Procura satisfacer los deseos del receptor.

El tratamiento podal completo siempre da mejores resultados que una sesión parcial, pero si no cuentas con suficiente tiempo, o te encuentras en una situación de emergencia, puedes limitarte a trabajar únicamente sobre los principales puntos reflejos de cada dolencia. Elige la opción que consideres más acertada, u ofrece los tratamientos que el receptor disfrute más intensamente.

Después de una sesión completa, observarás que las áreas reflejas más sensibles se encuentran más aliviadas, lo cual incrementa la efectividad de futuros tratamientos.

1

Relajamiento de lado a lado

Sujeta el pie con las dos manos y mécelo de lado a lado entre tus palmas, con movimientos rápidos pero suaves (2A, 2B y 2C). Repite con el otro pie.

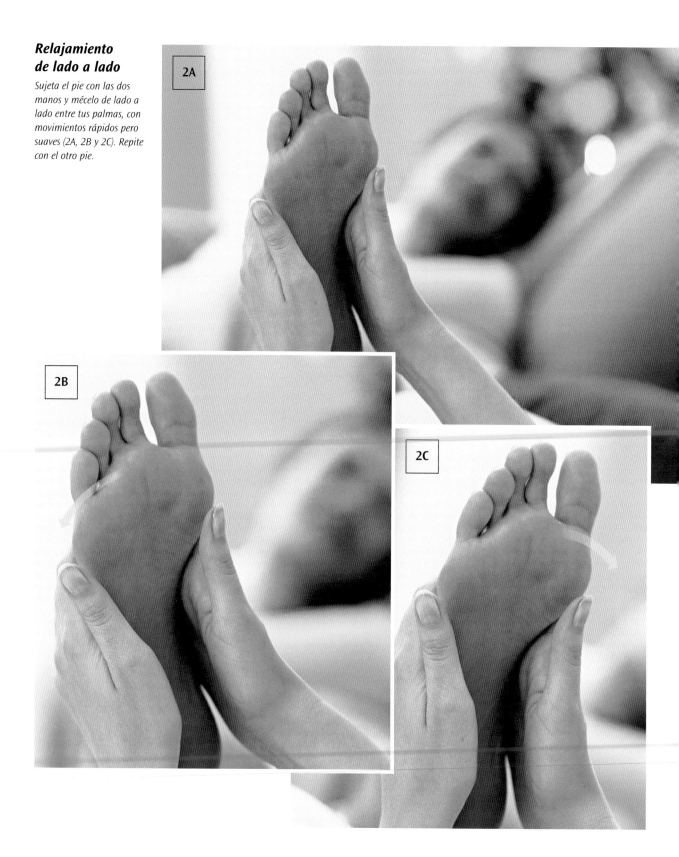

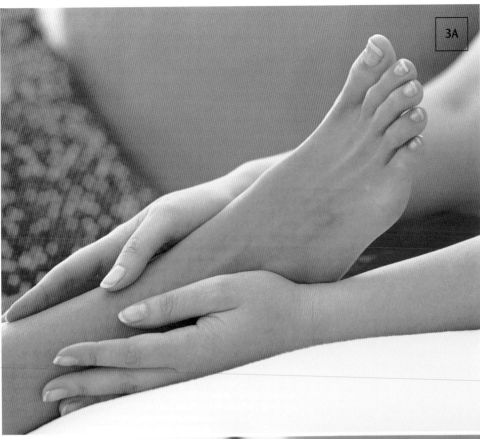

3A

Relajación de tobillos

Esta técnica resulta particularmente beneficiosa para quienes sufren artritis en los pies. Sitúa tus manos alrededor del tobillo, con las partes carnosas de los pulgares actuando como apoyo de los huesos de dicha zona. Con rapidez, aunque sin perder la suavidad, mece el pie de lado a lado, manteniendo las muñecas flojas. Los movimientos siempre han de ser suaves, y en ningún momento el pie debe ser forzado a desplazarse de un lado a otro (3A y 3B).

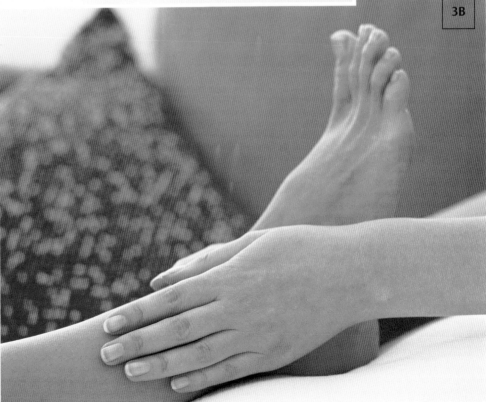

3B

Amasamiento metatarsal

Comienza por el pie derecho. Formando un puño con la mano de ese mismo lado, empuja contra la planta del pie mientras, simultáneamente, comprimes su extremo superior con la mano izquierda como si estuvieras amasando. Invierte la posición de las manos para tratar el pie izquierdo (4).

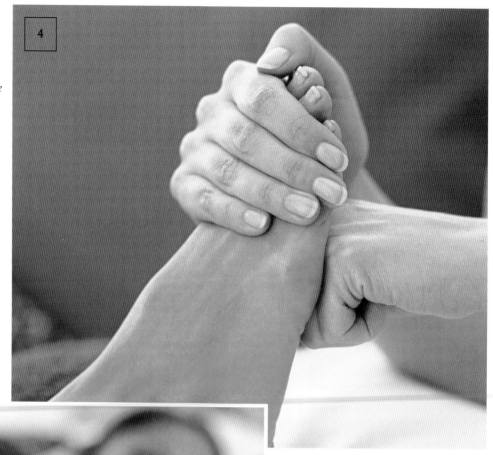

Activación del punto uno

Se trata del punto de contacto vital para todo el sistema nervioso central y la columna vertebral, y se encuentra en la parte más estrecha del pie, sobre la cara medial. Sujeta la extremidad con la mano izquierda y, utilizando el pulgar derecho, presiona este punto. Efectúa un movimiento rotatorio hacia dentro, en dirección a la columna (véase página 20), mientras cuentas hasta cinco; tras una pausa, repite (5).

Fricción espinal

Estimula y calienta toda la columna espinal. Con la parte plana de la mano, frota enérgicamente el borde medial (interior) de cada pie, de arriba abajo (6).

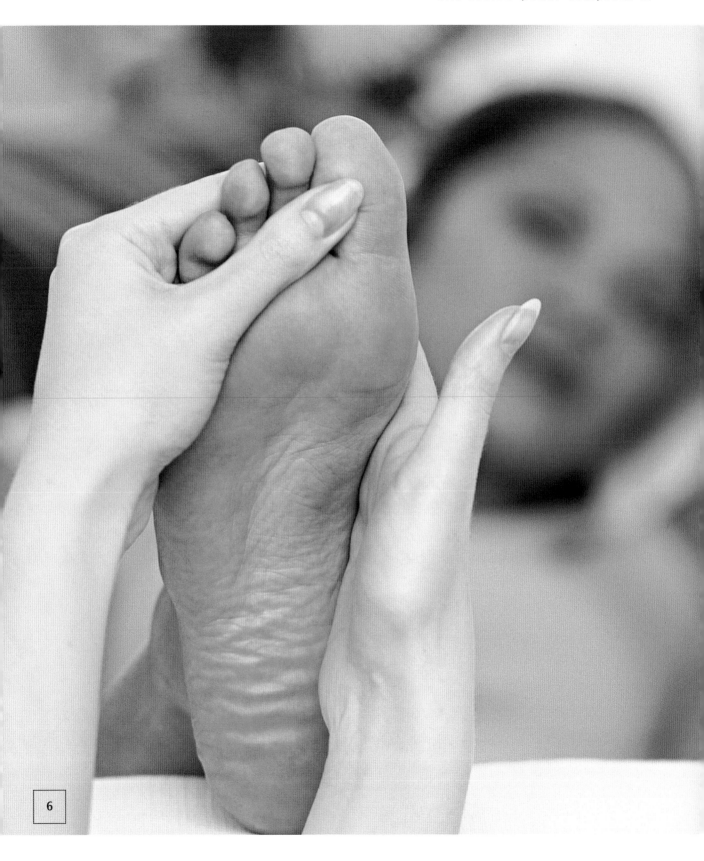

Movimiento circular (sujeción superior)

Este ejercicio de relajación ayuda a aliviar y a reducir la hinchazón de los tobillos. Comenzando por el pie derecho, rodea el extremo superior del tobillo con tu mano izquierda, asegurándote de colocar el pulgar sobre el borde lateral del pie (7A). Con la mano derecha gira el pie hacia dentro, en dirección a la columna (7B). Cuando trabajes con el pie izquierdo, coge el tobillo con la mano derecha y gira la extremidad con la mano izquierda.

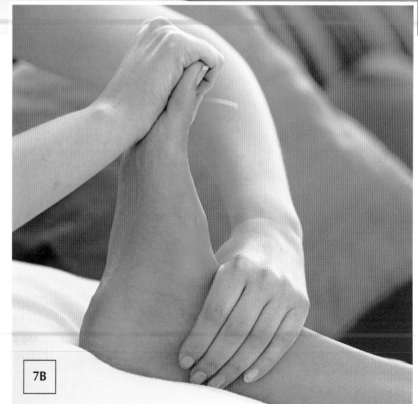

7B

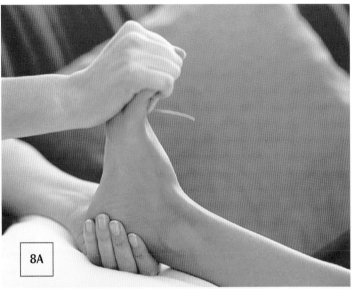

8A

Movimiento circular (sujeción inferior)

Coge el talón del pie derecho con tu mano izquierda (8A); con la mano derecha, gira suavemente el pie hacia dentro y en dirección a la columna (8B). Repite en el pie izquierdo, sujetando el pie con la mano derecha y realizando el movimiento circular con la izquierda.

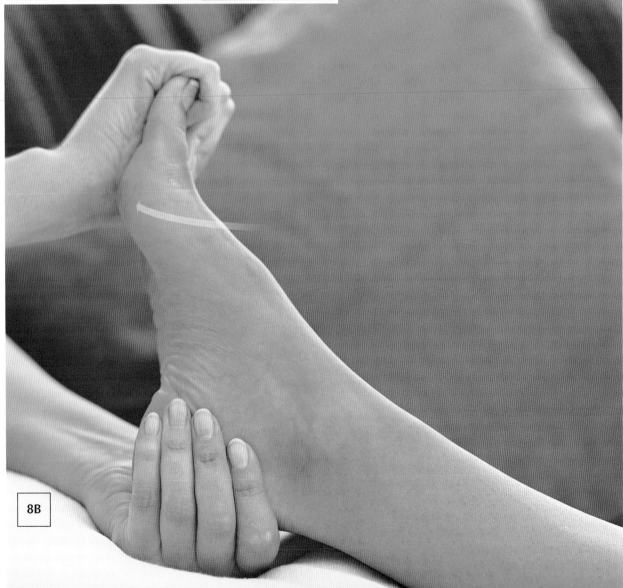

8B

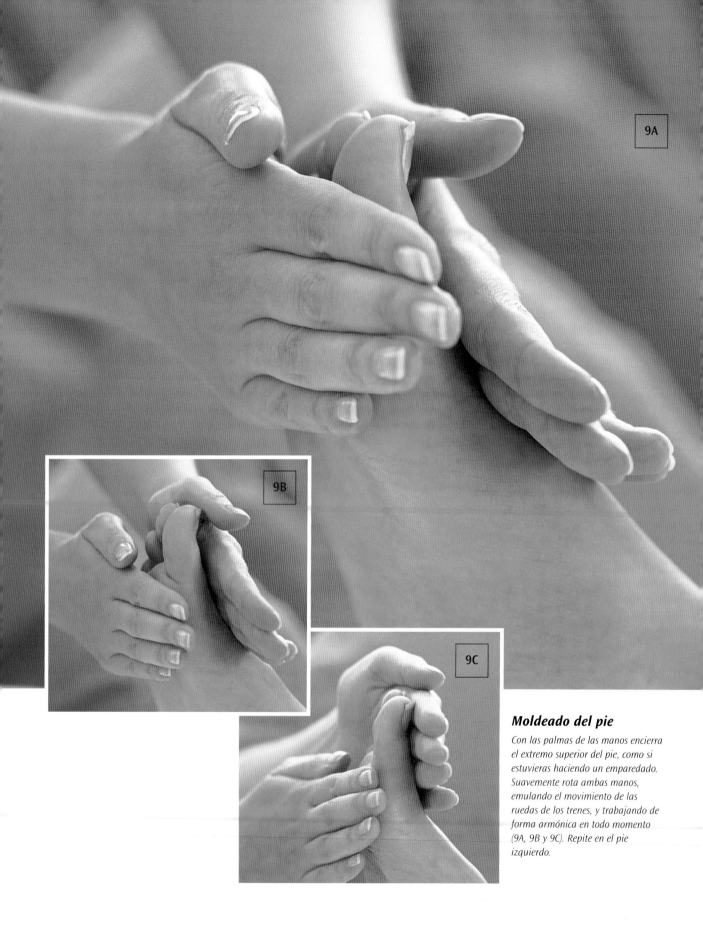

9A

9B

9C

Moldeado del pie

Con las palmas de las manos encierra el extremo superior del pie, como si estuvieras haciendo un emparedado. Suavemente rota ambas manos, emulando el movimiento de las ruedas de los trenes, y trabajando de forma armónica en todo momento (9A, 9B y 9C). Repite en el pie izquierdo.

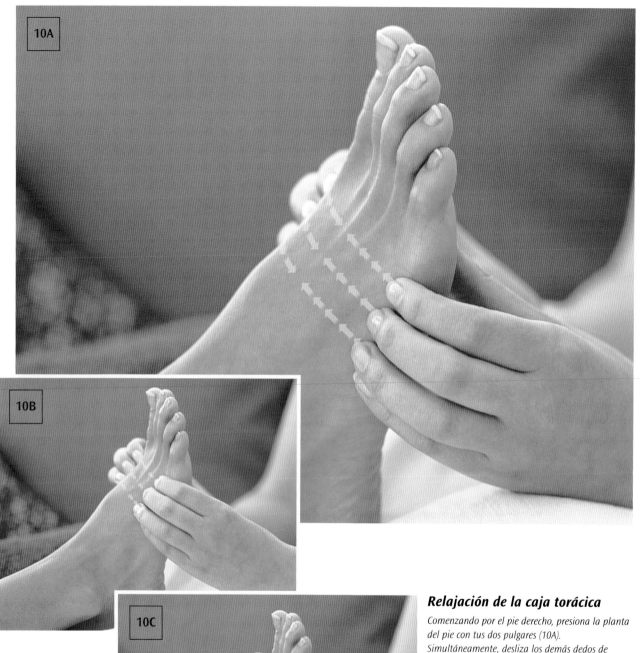

Relajación de la caja torácica

Comenzando por el pie derecho, presiona la planta del pie con tus dos pulgares (10A). Simultáneamente, desliza los demás dedos de ambas manos sobre la cara superior del pie, uniéndolos en la zona central (10B y 10C). Repite en el pie izquierdo.

Una vez que los pies se encuentren relajados, inicia la sesión de tratamiento sobre todas las áreas del cuerpo.

Mama y pulmón (plantar)

Sujeta el pie derecho con la mano izquierda. Deslizando el pulgar como si fuera una oruga, recorre las zonas situadas entre los surcos de cada dedo (11), en la cara plantar del pie. Invierte la posición de las manos para trabajar sobre el pie izquierdo.

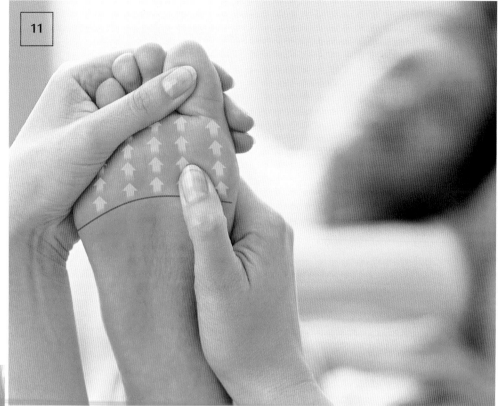

Mama y pulmón (dorsal)

Forma un puño con la mano izquierda y presiónalo contra la planta del pie derecho. Desliza el dedo índice derecho por los surcos que se extienden desde los dedos, en el extremo superior del pie (12). Invierte la posición de las manos para trabajar sobre el pie izquierdo.

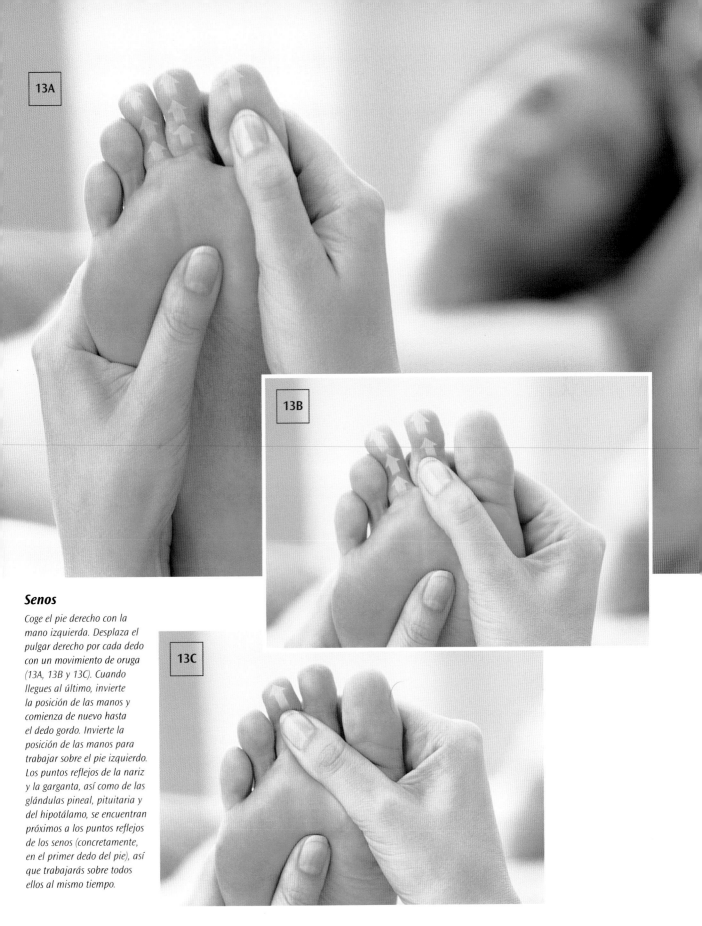

13A

13B

13C

Senos

Coge el pie derecho con la mano izquierda. Desplaza el pulgar derecho por cada dedo con un movimiento de oruga (13A, 13B y 13C). Cuando llegues al último, invierte la posición de las manos y comienza de nuevo hasta el dedo gordo. Invierte la posición de las manos para trabajar sobre el pie izquierdo. Los puntos reflejos de la nariz y la garganta, así como de las glándulas pineal, pituitaria y del hipotálamo, se encuentran próximos a los puntos reflejos de los senos (concretamente, en el primer dedo del pie), así que trabajarás sobre todos ellos al mismo tiempo.

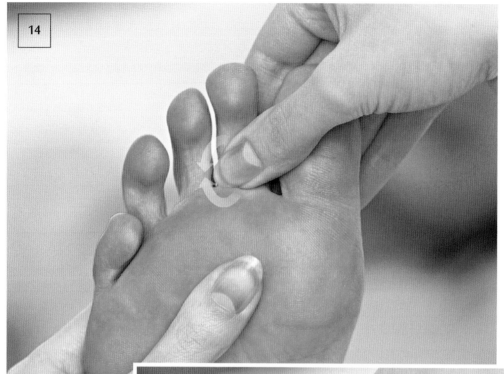

Ojo

Sujeta el pie derecho con tu mano izquierda. Sitúa el pulgar derecho justo debajo de la primera articulación del segundo dedo, y masajea el punto reflejo con un movimiento rotatorio muy reducido (14). Invierte la posición de las manos para trabajar sobre el pie izquierdo.

Oído

Coge el pie derecho con tu mano izquierda. Coloca el pulgar derecho justo debajo de la primera articulación del tercer dedo y trabaja el punto reflejo con un movimiento rotatorio muy reducido (15). Invierte la posición de las manos para trabajar sobre el pie izquierdo.

16

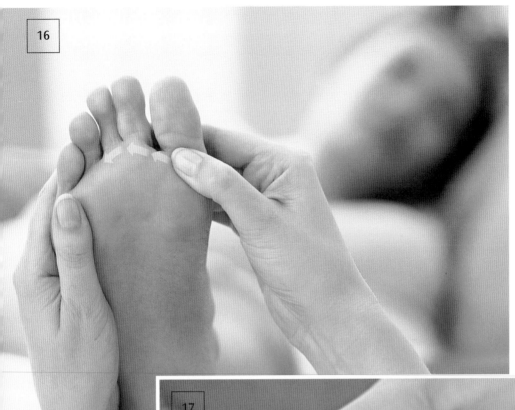

Cuello y tiroides (plantar)

Sujeta el pie derecho con tu mano izquierda y presiona la base de los tres primeros dedos deslizando el pulgar derecho sobre esa zona (16). Repite tres veces. Invierte la posición de las manos para trabajar sobre el pie izquierdo.

17

Cuello y tiroides (dorsal)

Apoya el pie derecho sobre tu puño izquierdo, y desliza el índice derecho por la base de los tres primeros dedos (17). Repite tres veces, e invierte la posición de las manos para trabajar sobre el pie izquierdo.

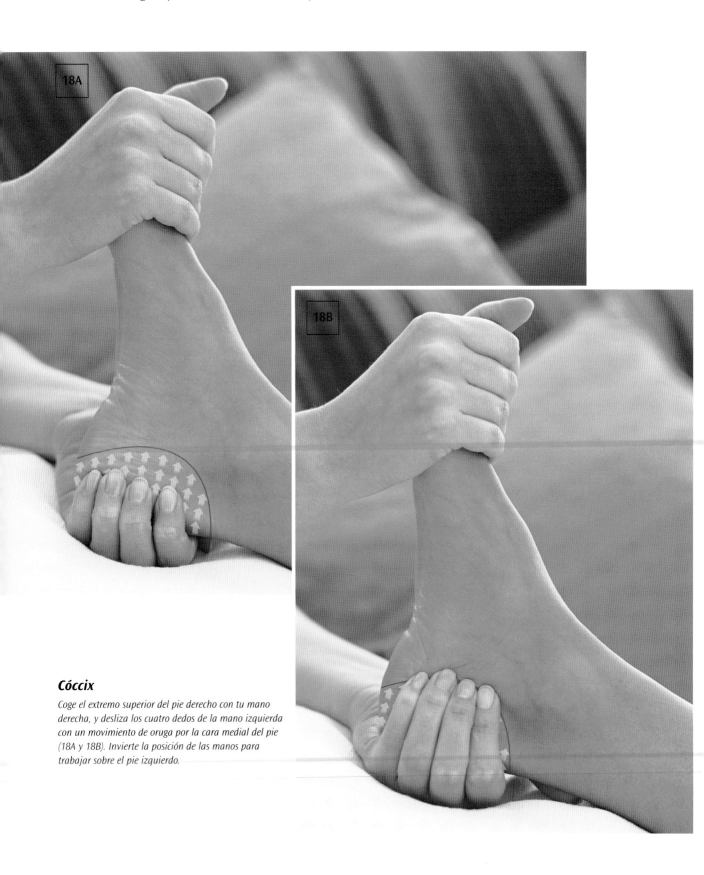

18A

18B

Cóccix

Coge el extremo superior del pie derecho con tu mano derecha, y desliza los cuatro dedos de la mano izquierda con un movimiento de oruga por la cara medial del pie (18A y 18B). Invierte la posición de las manos para trabajar sobre el pie izquierdo.

Cadera y pelvis

Sujeta el extremo superior del pie derecho con tu mano izquierda. Utilizando los cuatro dedos de la mano derecha, asciende con un movimiento de oruga por la cara lateral del tobillo (19A y 19B). Invierte la posición de las manos para trabajar sobre el pie izquierdo.

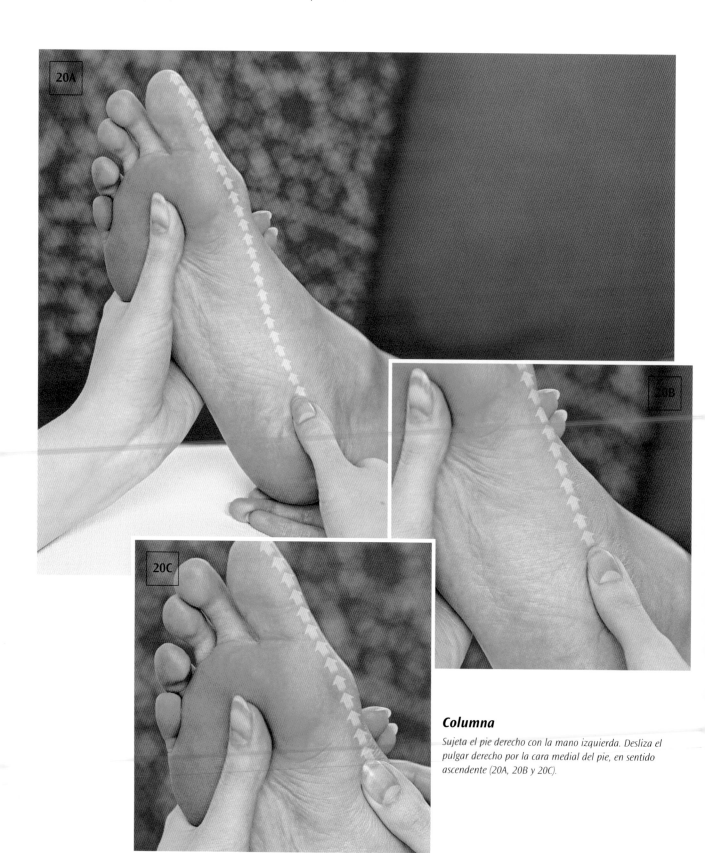

20A

20B

20C

Columna

Sujeta el pie derecho con la mano izquierda. Desliza el pulgar derecho por la cara medial del pie, en sentido ascendente (20A, 20B y 20C).

Columna

Continúa ascendiendo por la cara medial del pie hasta alcanzar el primer dedo (20D y 20E). Invierte la posición de las manos para trabajar sobre el pie izquierdo.

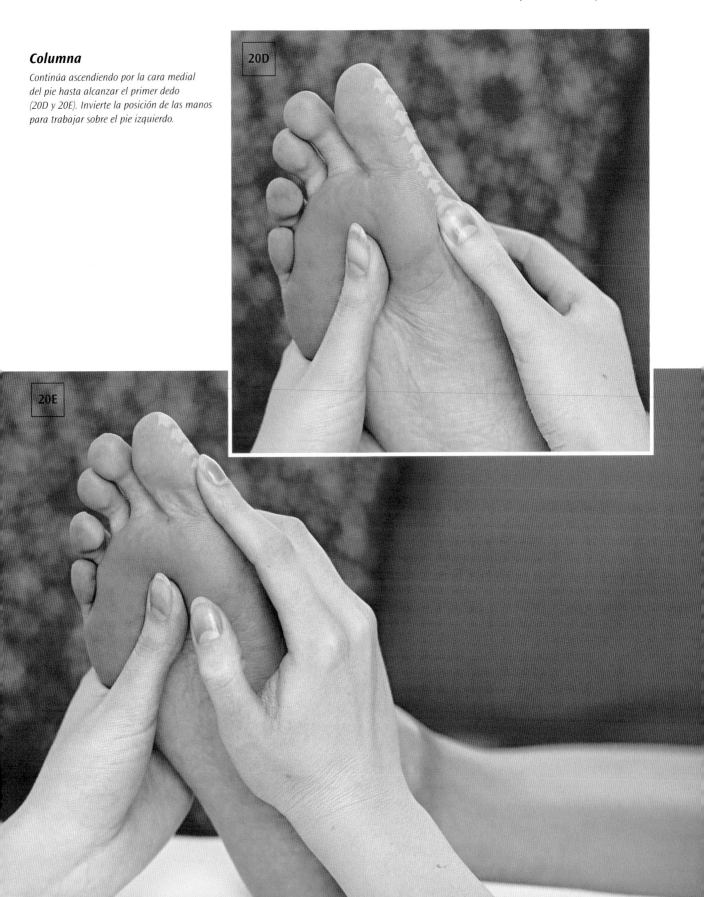

Dolencias cervicales crónicas

Sujeta el pie derecho con tu mano izquierda. Empleando el pulgar derecho, desciende por las caras laterales de los tres primeros dedos (21A, 21B y 21C). Invierte la posición de las manos para tratar el pie izquierdo.

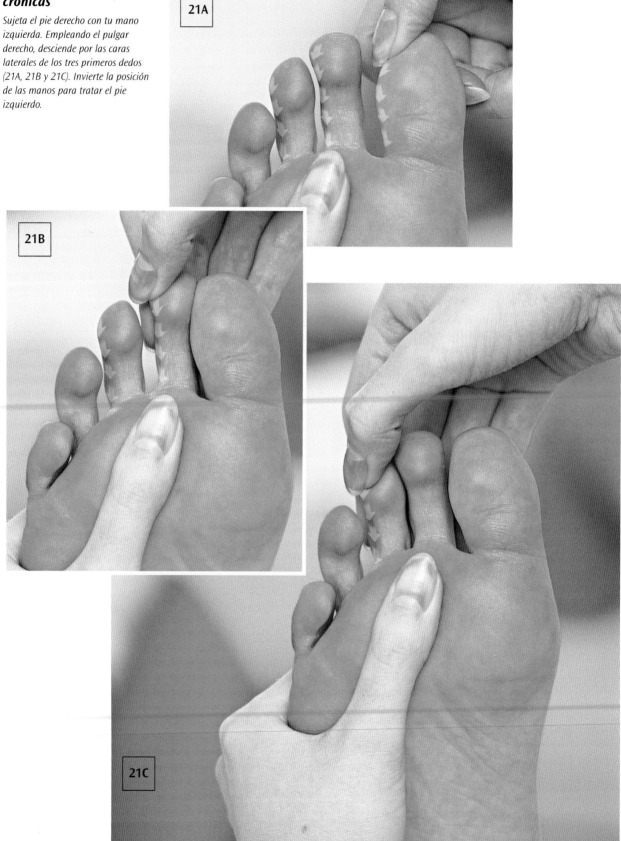

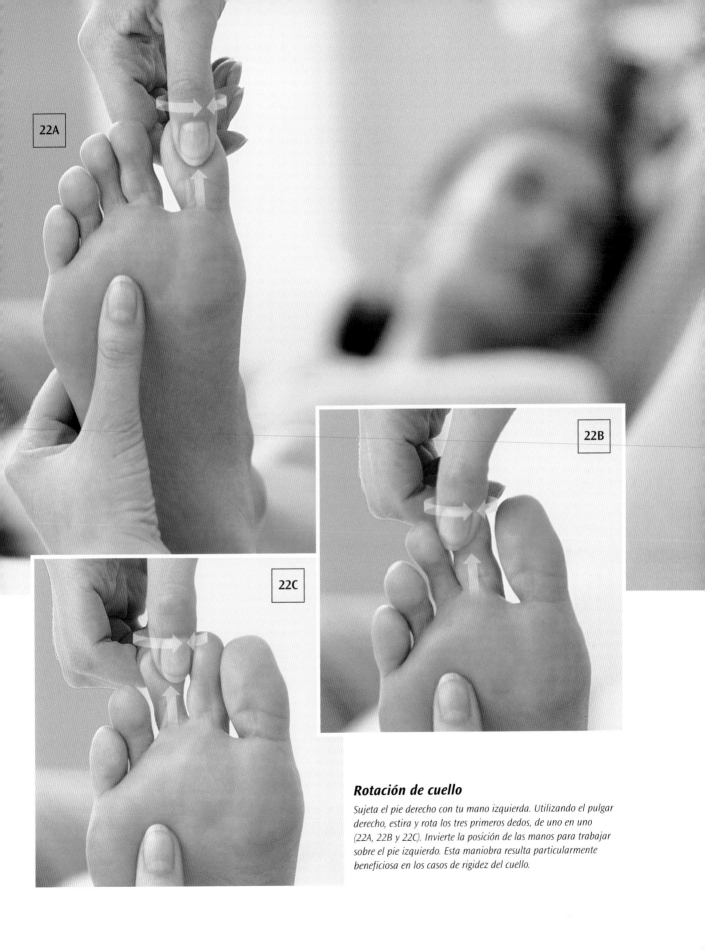

22A

22B

22C

Rotación de cuello

Sujeta el pie derecho con tu mano izquierda. Utilizando el pulgar derecho, estira y rota los tres primeros dedos, de uno en uno (22A, 22B y 22C). Invierte la posición de las manos para trabajar sobre el pie izquierdo. Esta maniobra resulta particularmente beneficiosa en los casos de rigidez del cuello.

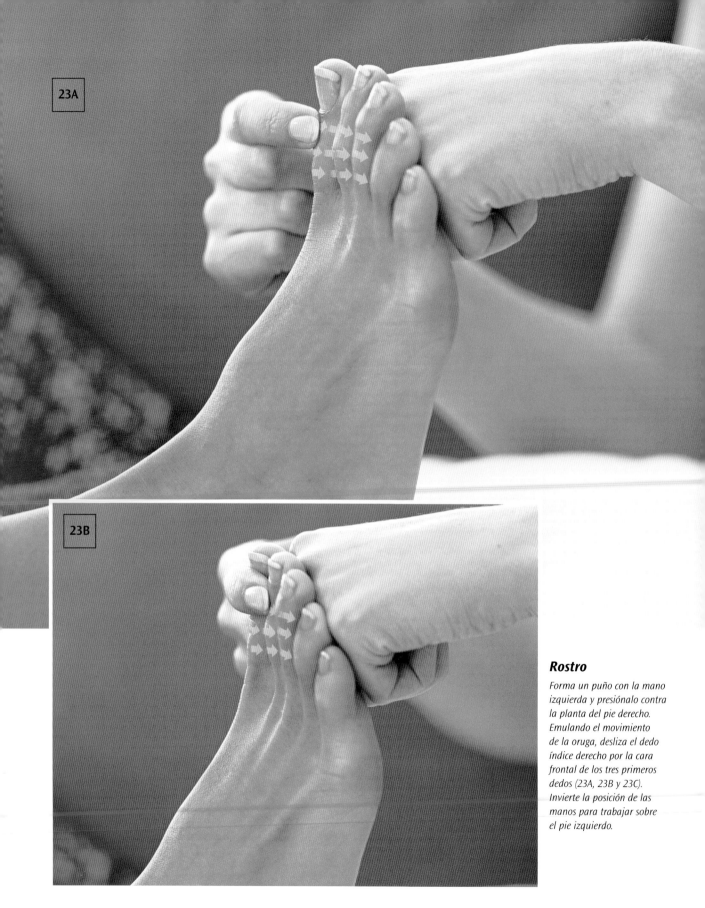

23A

23B

Rostro

Forma un puño con la mano izquierda y presiónalo contra la planta del pie derecho. Emulando el movimiento de la oruga, desliza el dedo índice derecho por la cara frontal de los tres primeros dedos (23A, 23B y 23C). Invierte la posición de las manos para trabajar sobre el pie izquierdo.

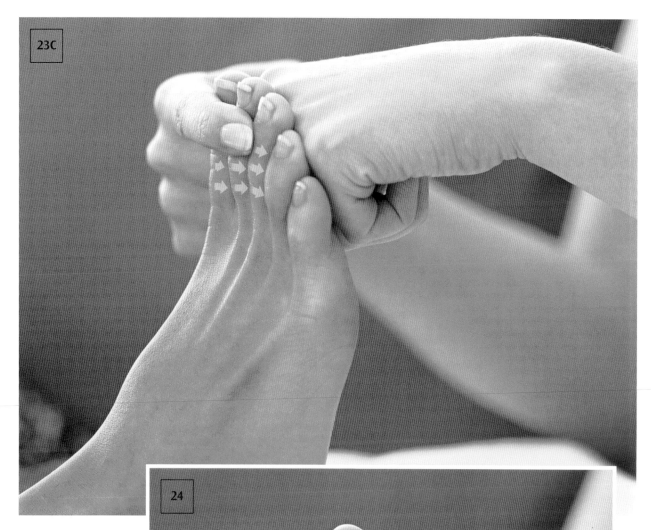

Dientes

*Esta maniobra ayuda
a aliviar el dolor dental
mientras esperas que llegue el
día de la cita con el dentista,
o bien después de un
tratamiento odontológico.
Apoya el pie derecho contra
tu puño izquierdo. Si deseas
tratar la mandíbula superior,
desliza el dedo índice sobre
los tres primeros dedos, casi
tocando la base de las uñas
(24). Si la zona a tratar es la
mandíbula inferior, trabaja
sobre los tres primeros dedos,
unos 5 mm por encima de la
línea en la que se unen al
pie. Invierte la posición de las
manos para trabajar sobre la
extremidad izquierda.*

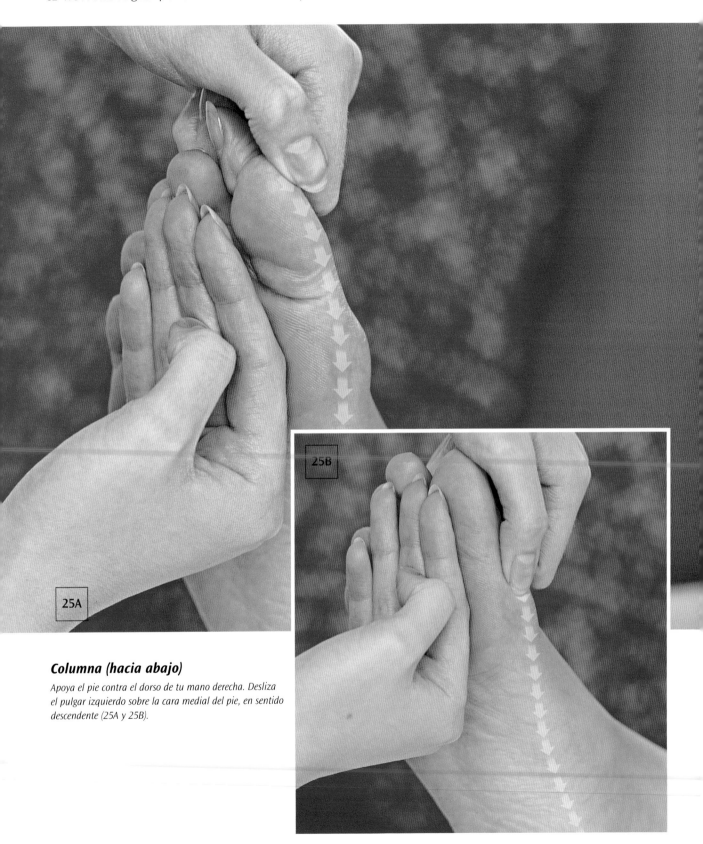

Columna (hacia abajo)

Apoya el pie contra el dorso de tu mano derecha. Desliza el pulgar izquierdo sobre la cara medial del pie, en sentido descendente (25A y 25B).

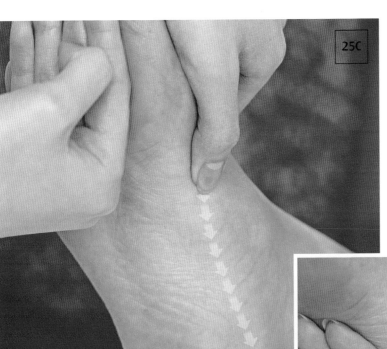

Columna (hacia abajo)

Continúa tratando la cara medial del pie, desplazando hacia abajo la mano de apoyo a medida que avanzas (25C). Cuando llegues al área del talón, apoya el pie sobre el dorso de tu mano (25D y 25E). Invierte la posición de las manos para trabajar sobre el pie izquierdo.

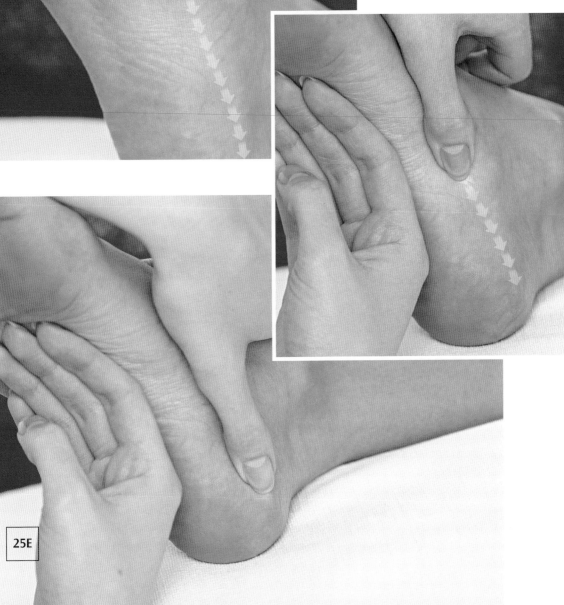

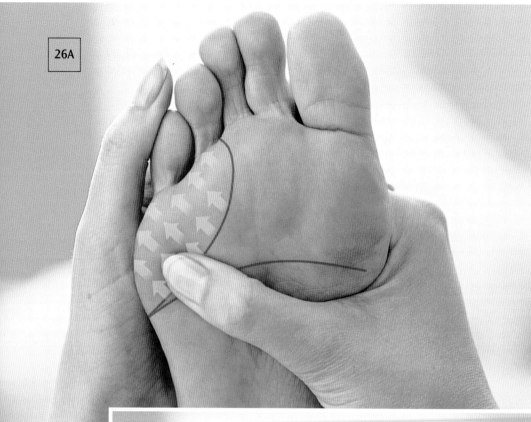

26A

Hombro (plantar)

Sujeta el pie derecho con tu mano izquierda. Deslizando el pulgar derecho hacia fuera, recorre el área refleja del hombro (26A). Invierte la posición de las manos y realiza la misma maniobra con el pulgar izquierdo (26B). Para trabajar sobre el pie izquierdo, comienza por sujetarlo con la mano derecha y desliza el pulgar izquierdo hacia fuera.

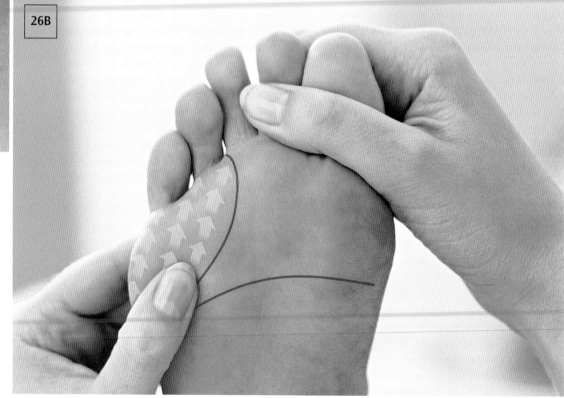

26B

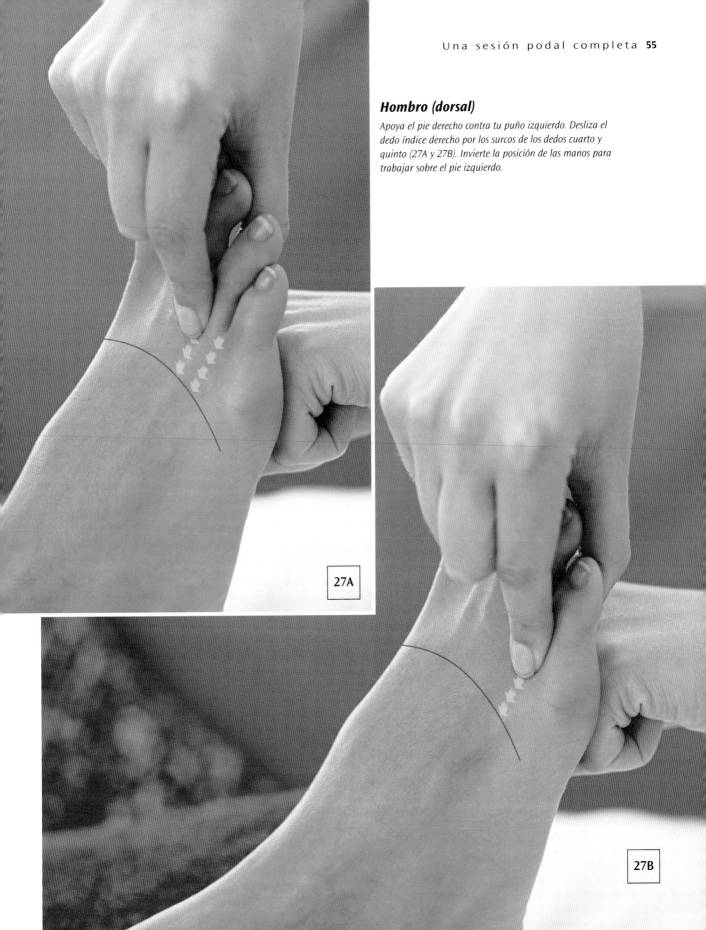

Hombro (dorsal)

Apoya el pie derecho contra tu puño izquierdo. Desliza el dedo índice derecho por los surcos de los dedos cuarto y quinto (27A y 27B). Invierte la posición de las manos para trabajar sobre el pie izquierdo.

27A

27B

Rodilla y codo

Sujeta el pie derecho con la mano derecha. Con el dedo índice izquierdo, asciende por el área refleja en forma de triángulo situada en la cara lateral del pie (28A y 28B). Invierte la posición de las manos para trabajar sobre el pie izquierdo.

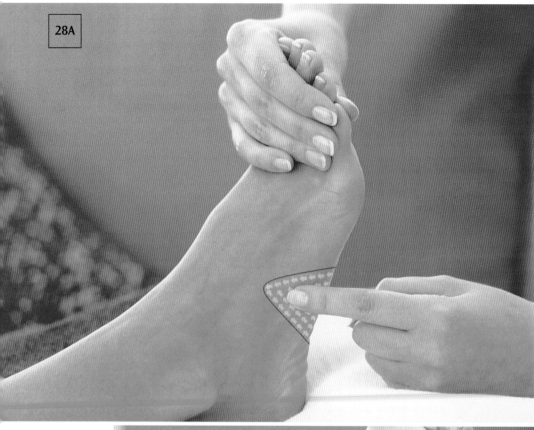

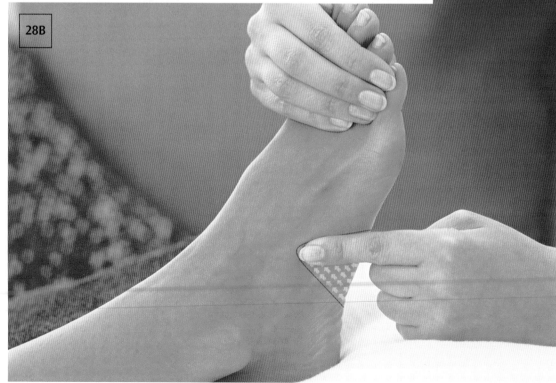

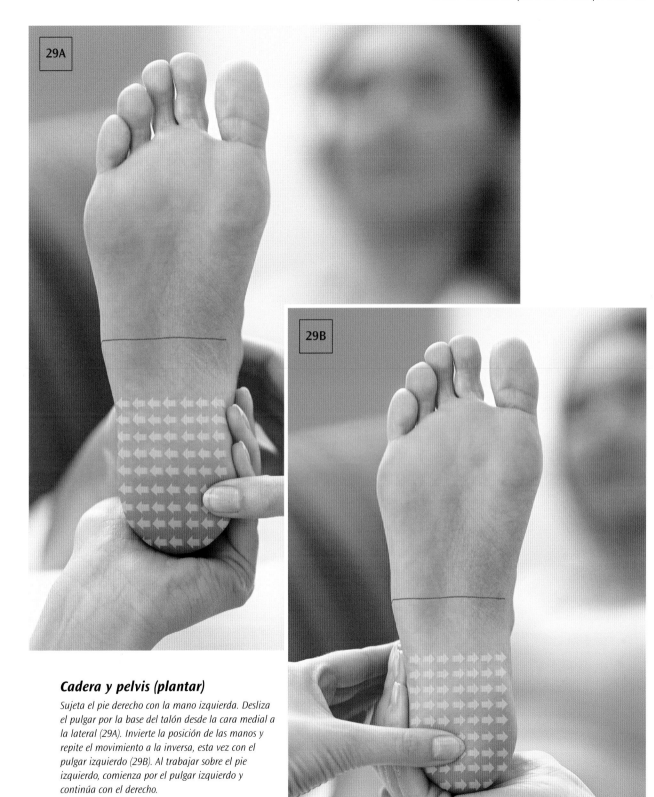

Cadera y pelvis (plantar)

Sujeta el pie derecho con la mano izquierda. Desliza el pulgar por la base del talón desde la cara medial a la lateral (29A). Invierte la posición de las manos y repite el movimiento a la inversa, esta vez con el pulgar izquierdo (29B). Al trabajar sobre el pie izquierdo, comienza por el pulgar izquierdo y continúa con el derecho.

Ciática primaria

Sujeta el extremo superior del pie derecho con tu mano derecha. Con el índice izquierdo masajea el área posterior del tobillo (30A), y continúa ascendiendo con el mismo movimiento de oruga hasta superar en unos 4 cm la línea del tobillo (30B). Invierte la posición de las manos para trabajar sobre el pie izquierdo.

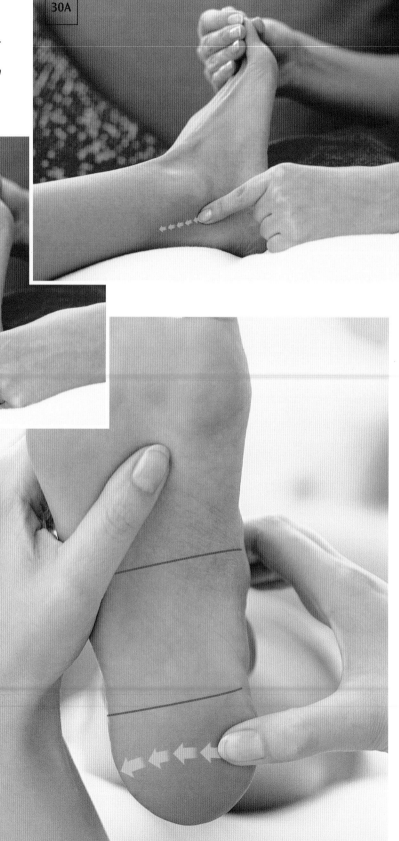

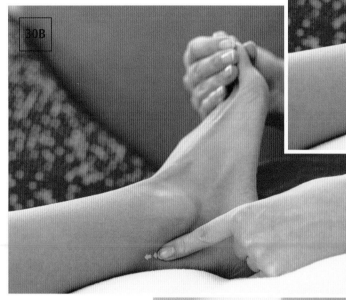

Ciática secundaria

Para tratar el área ciática secundaria masajea la zona del talón, entre la línea pélvica (véase página 18) y el extremo inferior del pie. Sujeta el pie derecho con la mano izquierda. Con el pulgar derecho, recorre dos o tres veces esta línea ejecutando un movimiento de oruga, desde la cara medial a la lateral de la extremidad (31). Invierte la posición de las manos para trabajar sobre el pie izquierdo.

32A

32B

Hígado

El punto reflejo del hígado sólo se
encuentra en el pie derecho. Coge este
último con la mano izquierda y desliza el
pulgar derecho sobre el área refleja, desde
la cara medial a la lateral, trabajando en
ángulo (32A). Invierte la posición de las
manos y repite la maniobra, esta vez con
el pulgar izquierdo (32B).

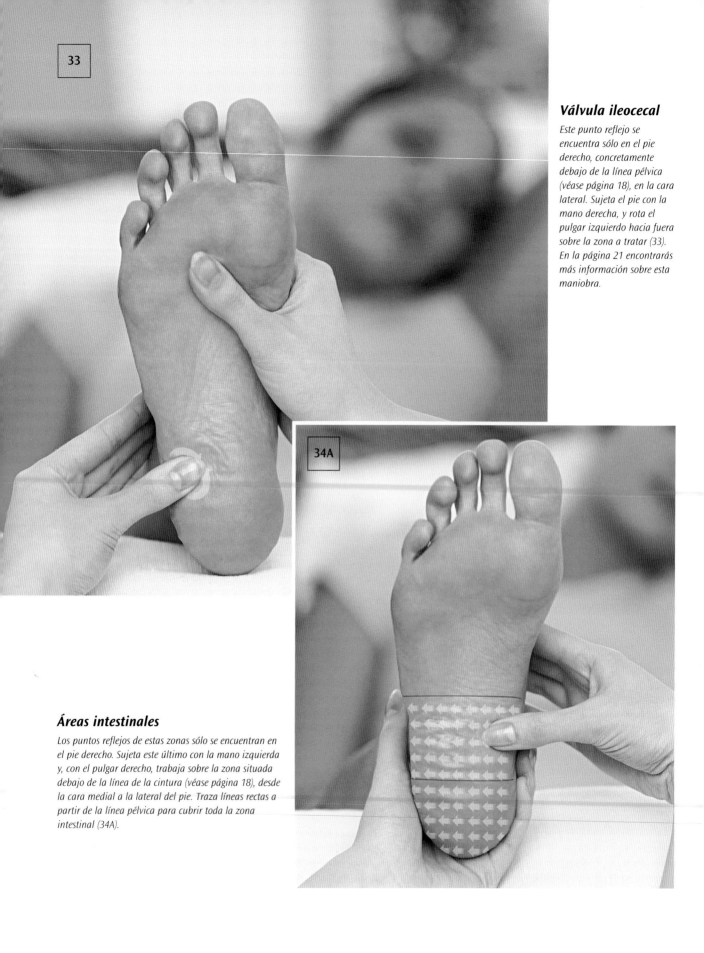

Válvula ileocecal

Este punto reflejo se encuentra sólo en el pie derecho, concretamente debajo de la línea pélvica (véase página 18), en la cara lateral. Sujeta el pie con la mano derecha, y rota el pulgar izquierdo hacia fuera sobre la zona a tratar (33). En la página 21 encontrarás más información sobre esta maniobra.

34A

Áreas intestinales

Los puntos reflejos de estas zonas sólo se encuentran en el pie derecho. Sujeta este último con la mano izquierda y, con el pulgar derecho, trabaja sobre la zona situada debajo de la línea de la cintura (véase página 18), desde la cara medial a la lateral del pie. Traza líneas rectas a partir de la línea pélvica para cubrir toda la zona intestinal (34A).

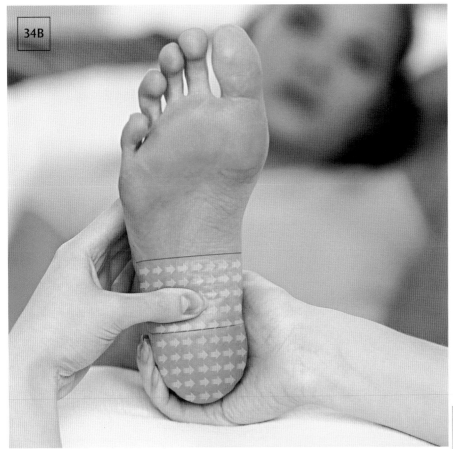

Áreas intestinales

Sujeta el pie con la mano derecha. Utilizando el pulgar izquierdo, recorre toda la zona situada debajo de la línea pélvica, esta vez desde la cara lateral a la medial (34B). Trabaja en línea recta, desde la línea pélvica hacia abajo, como has hecho antes.

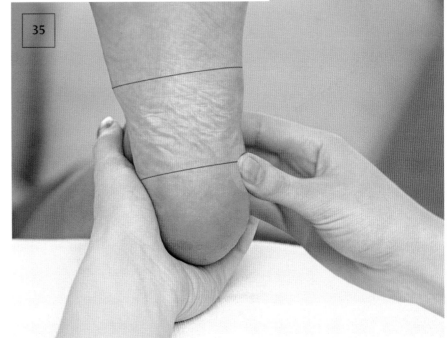

Vejiga

Sujeta el pie derecho con tu mano izquierda. Utilizando el pulgar derecho, localiza el área abultada y blanda de la cara medial del pie (35) y masajéala dos o tres veces. Invierte la posición de las manos para trabajar sobre el pie izquierdo.

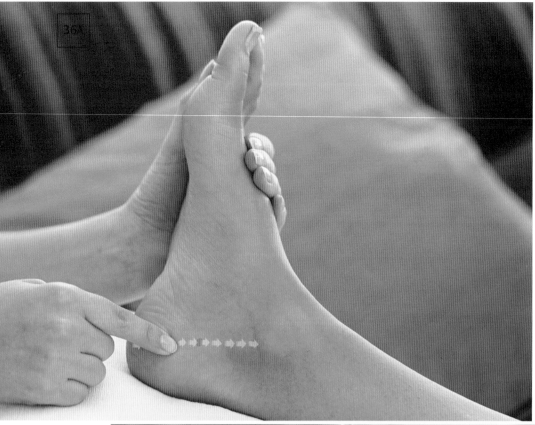

Útero/próstata

El punto reflejo del útero o la próstata se sitúa entre el talón y el hueso del tobillo, en la cara medial del pie. Sujeta el pie derecho con la mano izquierda y, con el dedo índice derecho, masajea la zona desde el extremo del talón hasta el hueso del tobillo (36A y 36B). Invierte la posición de las manos para tratar el pie izquierdo.

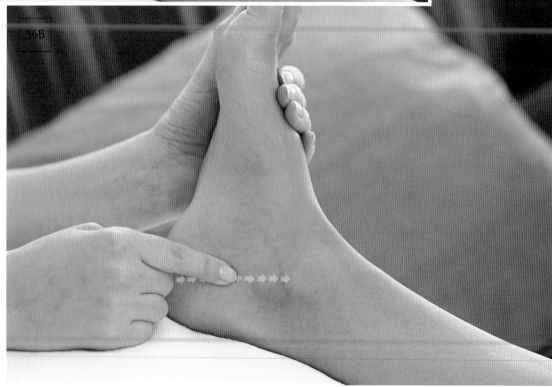

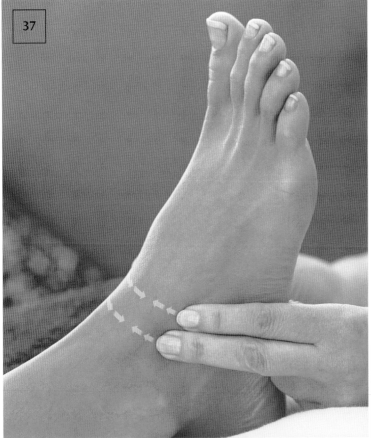

Trompas de Falopio/vaso deferente

Presiona la planta del pie derecho con ambos pulgares. Al mismo tiempo, con los dedos índice y corazón de las dos manos, recorre la cara superior del pie (37). Repite dos o tres veces, e invierte la posición de las manos para tratar el pie izquierdo.

Ovario/testículo

El punto reflejo del ovario o el testículo se sitúa entre el extremo del talón y el hueso del tobillo, en la cara lateral del pie. Sujeta el pie derecho con la mano de ese mismo lado y, con el dedo índice izquierdo, asciende desde la parte superior del talón hasta el hueso del tobillo (38). Invierte la posición de las manos para tratar el pie izquierdo.

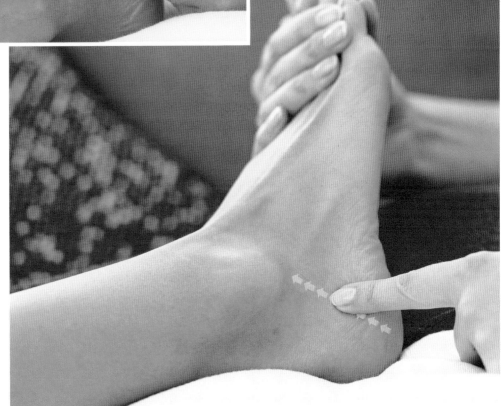

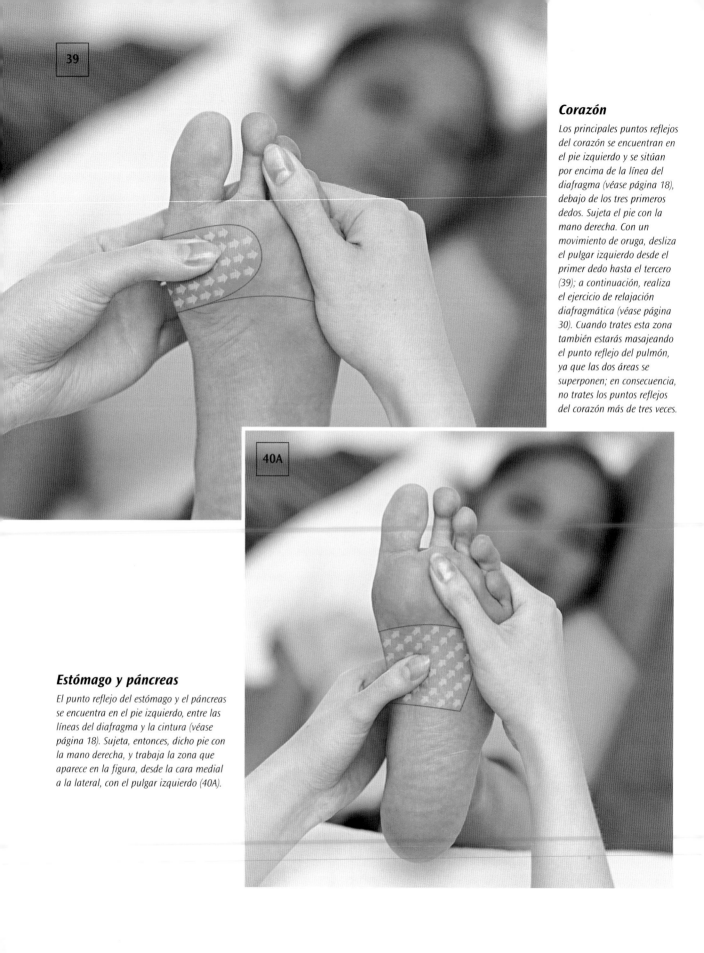

Corazón

Los principales puntos reflejos del corazón se encuentran en el pie izquierdo y se sitúan por encima de la línea del diafragma (véase página 18), debajo de los tres primeros dedos. Sujeta el pie con la mano derecha. Con un movimiento de oruga, desliza el pulgar izquierdo desde el primer dedo hasta el tercero (39); a continuación, realiza el ejercicio de relajación diafragmática (véase página 30). Cuando trates esta zona también estarás masajeando el punto reflejo del pulmón, ya que las dos áreas se superponen; en consecuencia, no trates los puntos reflejos del corazón más de tres veces.

40A

Estómago y páncreas

El punto reflejo del estómago y el páncreas se encuentra en el pie izquierdo, entre las líneas del diafragma y la cintura (véase página 18). Sujeta, entonces, dicho pie con la mano derecha, y trabaja la zona que aparece en la figura, desde la cara medial a la lateral, con el pulgar izquierdo (40A).

Estómago y páncreas

Invierte la posición de las manos y trabaja la misma zona, esta vez desde la cara lateral a la medial, y con el pulgar derecho (40B).

Colon sigmoideo y recto

Esta zona refleja tiene forma de «V» y se sitúa debajo de la línea pélvica (véase página 18), únicamente en el pie izquierdo. Sujeta el pie con la mano derecha y, con el pulgar de la mano izquierda, asciende por la bifurcación exterior del área refleja. Invierte la posición de las manos y usa el pulgar derecho para masajear la bifurcación interior (41).

Llega el momento de la relajación final

Aplicar un masaje relajante después de una sesión de reflexología distiende al receptor e, incluso, puede llegar a incrementar los beneficios del tratamiento. Pide al receptor que se tumbe sobre una superficie plana y firme, y humedece tus manos con un poco de aceite antes de masajearla.

■ Con las palmas de las manos, masajea los hombros con suaves movimientos circulares (1). Trabaja a ambos lados de la columna (2), y masajea el cuello con las yemas de los dos índices (3).

■ Nuevamente con las palmas de las manos, masajea a ambos lados de la columna con movimientos circulares muy suaves. Comienza desde la base de la columna y asciende (4).

■ Vuelve a recorrer la columna, realizando pequeños movimientos circulares con los índices (5). Repite dos veces. Finaliza deslizando las palmas desde la base de la columna hasta los hombros (6).

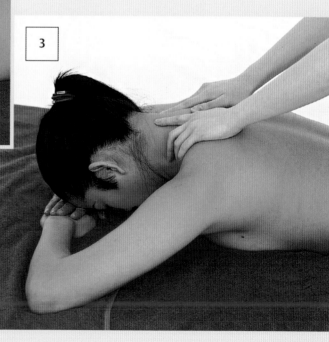

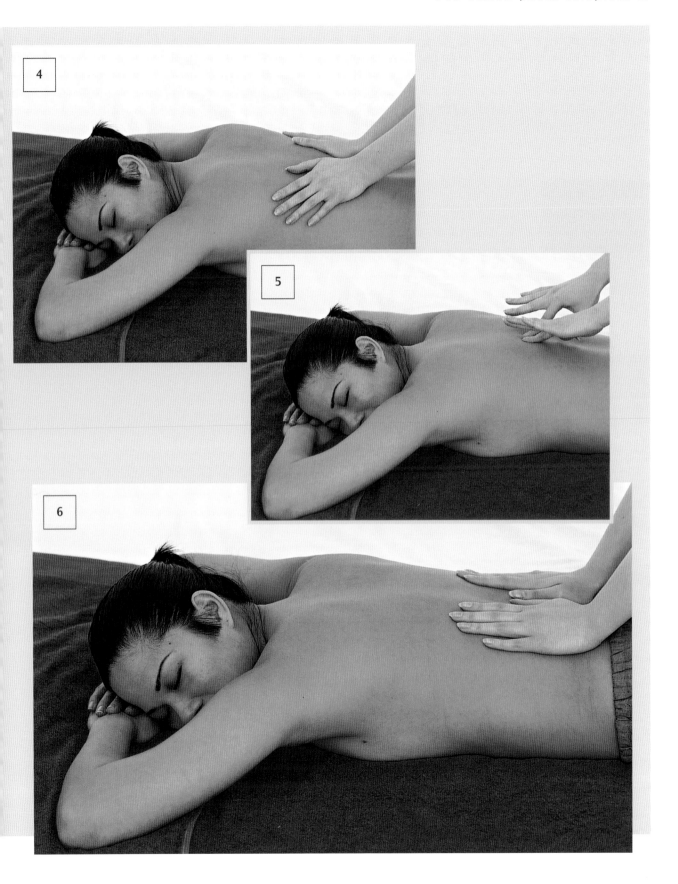

CÓMO TRATAR EL DOLOR DE CUELLO

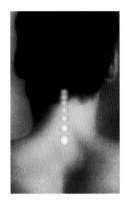

Columna cervical
La columna cervical comienza en la base del cráneo; sus siete vértebras sustentan el cráneo y permiten una amplia gama de movimientos de la cabeza.

Las siete vértebras del cuello, denominadas vértebras cervicales, sustentan el peso de la cabeza y aportan flexibilidad al cuello. Las dos primeras reciben el nombre de atlas y axis, ya que permiten que la cabeza ascienda, descienda (como al asentir) y gire. ¡Piensa en la cantidad de veces al día que realizas estos movimientos!

A pesar de que el dolor de cuello no es tan común como el del tercio inferior de la espalda, la zona cervical no se halla tan bien protegida como el resto de la columna, por lo que resulta vulnerable a lesiones, desgaste y enfermedades degenerativas.

El tratamiento del dolor, la rigidez y la tensión del cuello mediante la reflexología resulta un excelente método para aliviar el malestar. Esta terapia consigue eliminar la tensión muscular, mejorar la circulación y restablecer el normal funcionamiento del cuello.

Causas del dolor de cuello

Pueden originarse en accidentes, como un latigazo cervical posterior a un accidente automovilístico, o en un cuadro de tensión general. Sentarse frente a una pantalla de ordenador durante muchas horas, por ejemplo, puede tensar e irritar los músculos, ligamentos y articulaciones de ambos lados del cuello.

Ciertas enfermedades degenerativas, como la osteoartritis y la artritis reumatoide (véase página 12), pueden provocar desgaste y lesiones cervicales. Si apoyas la mano en la cara posterior del cuello percibirás las vértebras cervicales, en la zona donde el primero se une a los hombros. Al ser las vértebras más prominentes, están expuestas a un gran deterioro que, con el paso de los años, con frecuencia se convierte en artritis.

La degeneración de los discos cervicales es otra de las causas del dolor de cuello. A medida que envejecemos, los discos situados entre los huesos de esta región pueden sufrir lesiones; a su vez, este cuadro podría derivar

en una hernia cervical, afección en la que el núcleo del disco comienza a salir hacia fuera, presionando la médula espinal o los nervios (véase página 94).

Tensión cervical

Si detienes tu actividad un instante y te concentras en tu cuello, probablemente descubrirás que lo tienes muy rígido. Todos tensamos el cuello, y en momentos de estrés parece que estuviéramos cargando con el peso del mundo entero sobre nuestros hombros. El hecho de

Áreas del pie
Las áreas reflejas del cuello se sitúan en los tres primeros dedos, así que trabaja estas zonas si deseas tratar problemas cervicales.

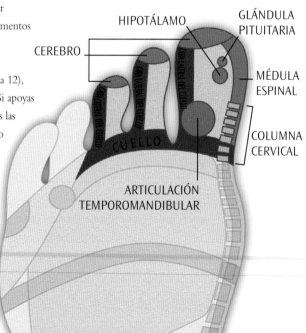

CEREBRO

HIPOTÁLAMO

GLÁNDULA PITUITARIA

MÉDULA ESPINAL

COLUMNA CERVICAL

CUELLO

ARTICULACIÓN TEMPOROMANDIBULAR

1B

1C

sentarse encorvado en una mesa de trabajo, o de sujetar el teléfono entre el cuello y los hombros, puede empeorar mucho la tensión cervical. Esta afección, que comprime los nervios del cuello, suele causar dolor facial y de oído, además de provocar una sensación de mareo y confusión. Existe la teoría de que, además, podría provocar demencia con el paso de los años.

Reducir de la tensión cervical

Para reducir la tensión, mantén el cuello en movimiento. Rotar la cabeza consigue aliviar la rigidez general.

Por la noche utiliza una almohada ortopédica que te proporcione buen apoyo postural; de esta forma conseguirás mantener la cabeza en una posición adecuada mientras duermes. Descansar sobre una almohada demasiado alta suele incrementar aún más la tirantez de los músculos y ligamentos del cuello, y aumenta la tensión de la zona.

Cuello y cabeza

Para tratar todas las áreas comprendidas entre la cara posterior del cuello y el extremo superior de la cabeza, presiona tanto la cara inferior del primer dedo (1A) como la del segundo y el tercero (1B y 1C). El tercer dedo representa el lado de la cabeza que se alinea con la oreja.

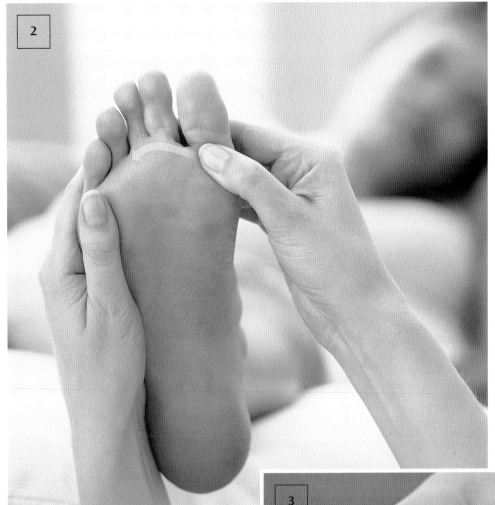

2

Cara posterior del cuello

Para tratar la base del cuello (la zona que une la cabeza y los hombros), sujeta el pie derecho con tu mano izquierda. Imitando el movimiento de la oruga, desliza el pulgar derecho por la base de los tres primeros dedos (la línea de los hombros), y repite tres veces (2). Invierte la posición de las manos para tratar el pie izquierdo.

Cara anterior del cuello

Para tratar la zona frontal del cuello, forma un puño con la mano izquierda y apóyalo contra el extremo superior del pie derecho; a continuación, con el dedo índice derecho recorre la base de los tres primeros dedos (3). Invierte la posición de las manos para tratar el pie derecho.

3

Tortícolis

Casi todo el mundo ha despertado alguna vez con el cuello rígido y la sensación de que le cuesta girar la cabeza a derecha o izquierda. Este trastorno recibe el nombre de tortícolis y afecta las articulaciones facetarias, es decir, las áreas donde las vértebras se unen entre sí. La tortícolis puede originarse en una actividad intensa llevada a cabo el día anterior, como un partido de tenis. Pero también la natación, como la brazada de pecho, puede ser otra de sus causas. El motivo es que muchas personas practican este estilo manteniendo la cabeza erguida fuera del agua, y dicha posición resulta muy negativa para quienes padecen problemas cervicales.

Pasar una mala noche también puede provocar tortícolis, en concreto si no dejas de girar una y otra

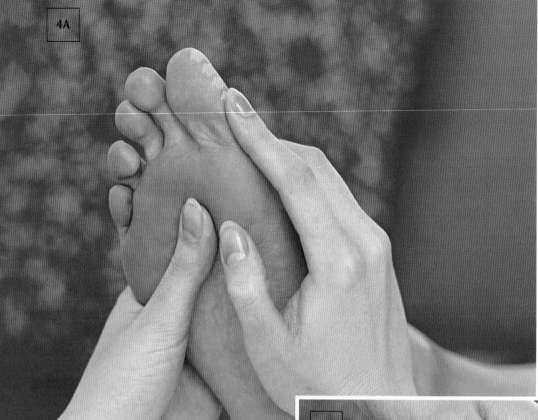

4A

Dolencias cervicales

Masajear las partes prominentes de las siete vértebras cervicales ayuda a aliviar dolencias como la artritis del cuello o el latigazo cervical causado por un accidente automovilístico.

Sujeta el pie derecho con tu mano izquierda. Con el dedo índice derecho, asciende por la cara medial del pie (4A). Invierte la posición de las manos para tratar el pie derecho.

Apoyando el pie derecho contra el dorso de tu mano derecha, desciende por el borde exterior del primer dedo con tu pulgar izquierdo (4B). Invierte la posición de las manos para tratar el pie izquierdo.

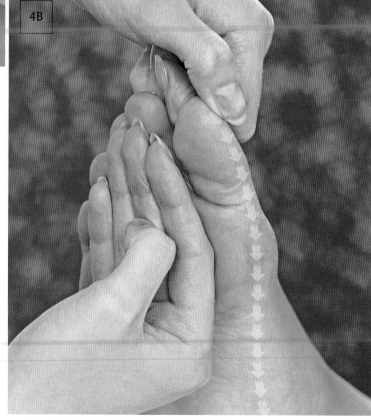

4B

vez en la cama después de una pesadilla, o a causa de alguna situación estresante vivida el día anterior.

Neuralgia

La neuralgia es un intenso dolor punzante, palpitante o lancinante que, por lo general, sigue el curso de un nervio de la cabeza o el cuello. Aunque no siempre se le encuentra una causa obvia, este tipo de dolor suele aparecer después de la extracción de una pieza dental, o en los casos de una infección por herpes localizada en el rostro. Los dolores aparecen y desaparecen sin advertencia, y duran minutos u horas. En estas desagradables y molestas circunstancias, el tratamiento reflexológico puede proporcionar un gran alivio.

Si la neuralgia deriva del herpes, mojar la zona con una compresa de algodón hidrófilo empapado en aceite de lavanda alivia mucho el malestar.

Dolencias cervicales

Desliza el pulgar en sentido descendente sobre la cara lateral del primer dedo (5A), y luego repite en el segundo y el tercero (5B y 5C). Trabaja con el pulgar derecho sobre el pie derecho, y el pulgar izquierdo sobre el pie de ese mismo lado, como anteriormente. Este masaje ayuda a aliviar el dolor de cuello producido por la artritis o un latigazo cervical.

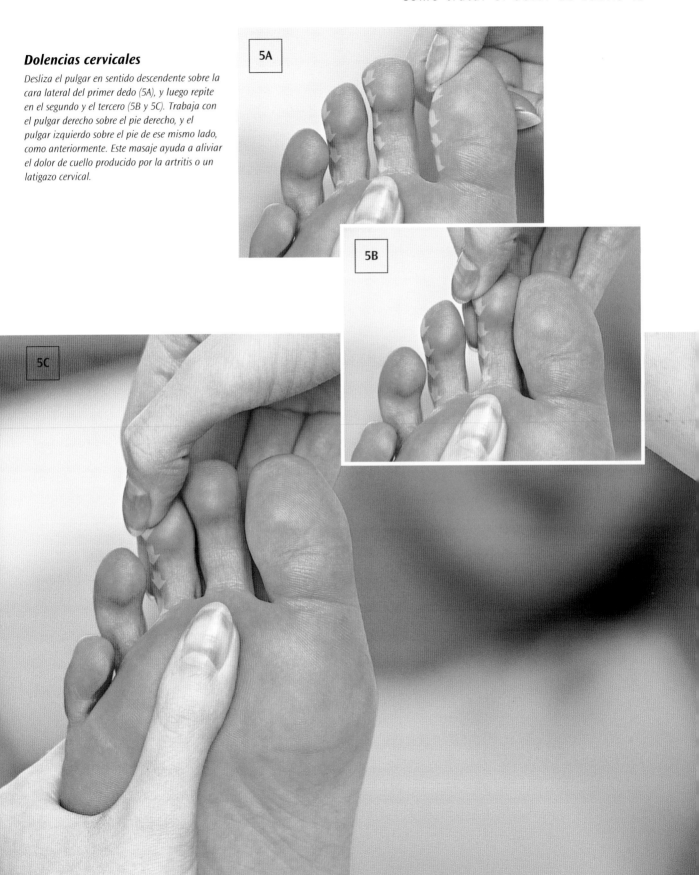

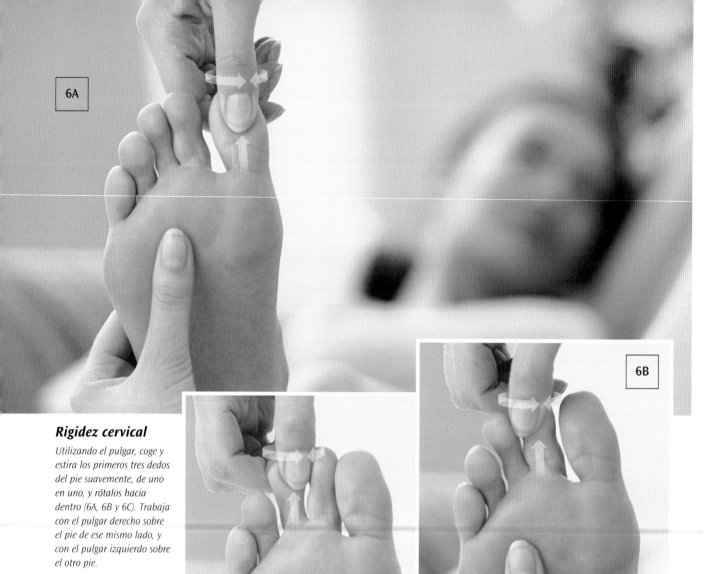

6A

6B

6C

Rigidez cervical

Utilizando el pulgar, coge y estira los primeros tres dedos del pie suavemente, de uno en uno, y rótalos hacia dentro (6A, 6B y 6C). Trabaja con el pulgar derecho sobre el pie de ese mismo lado, y con el pulgar izquierdo sobre el otro pie.

7

Neuralgia

Para aliviar el dolor facial, forma un puño con la mano izquierda y apóyalo contra la parte superior del pie derecho. Desliza el índice derecho por la cara frontal de los tres primeros dedos. Cuando trates el pie izquierdo, apóyalo contra tu puño derecho y desliza el índice izquierdo por los dedos (7).

Sencillos ejercicios para el cuello

Cuídate el cuello. Si debes permanecer sentado o de pie durante largos períodos a lo largo del día, haz un alto de vez en cuando y gira suavemente el cuello de lado a lado a fin de aliviar la tensión y mantenerlo estirado y flexible (1 y 2).

Aunque sufras dolor y rigidez en el cuello, intenta mantenerte en movimiento continuamente. Rota con suavidad la cabeza, mirando hacia el techo y el suelo para mantener la flexibilidad de los músculos y ligamentos (3 y 4). Si no te mueves, el cuello se tensará aún más, debilitando los ligamentos y los músculos, y causando aún más problemas.

Otra buena forma de aliviar el dolor de cuello consiste en poner en práctica una suave forma de autotracción. Túmbate en la cama boca arriba, de tal forma que tu cabeza penda fuera de su superficie (5). Mantente en esta posición durante, al menos, cinco minutos, y conseguirás eliminar la tensión de los músculos del cuello.

CÓMO TRATAR EL TERCIO SUPERIOR DE LA ESPALDA

A partir de la última vértebra cervical se extienden las doce torácicas, comprendidas entre la clavícula y la cintura. Las vértebras torácicas se unen a las costillas, son más grandes que las cervicales y aumentan ligeramente de tamaño a medida que se alejan de la columna cervical.

La principal función de las vértebras torácicas es la de sustentar la caja torácica y, debido a que se adhieren a las costillas, suelen desgastarse menos que las situadas en el cuello. Por lo general, en esta zona de la columna se producen menos problemas que en el área cervical y el tercio inferior de la espalda.

Columna torácica
Las doce vértebras de la columna torácica se fijan con firmeza a las costillas.

Las costillas, que se unen a las vértebras torácicas, conforman una caja ósea que protege los órganos vitales. En el espacio que separa las costillas entre sí existen una serie de músculos, llamados intercostales, que se ocupan de elevar las costillas hacia arriba y hacia fuera cada vez que inspiramos, para permitir que los pulmones se expandan. Cuando espiramos, los músculos y las costillas vuelven a relajarse.

En ocasiones, si has estado tosiendo mucho, las costillas se ladean ligeramente o se aproximan entre sí. Esta misma circunstancia puede provocarse después de practicar deportes como el tenis, en el que el uso constante del brazo derecho puede afectar los espacios intercostales. Es posible, entonces, que surja un intenso dolor a un lado del cuerpo, en cuyo caso lo más recomendable es poner en práctica el ejercicio de la página 80 para aliviar el malestar.

Escoliosis

Las tres deformaciones principales que afectan a la columna se denominan escoliosis, cifosis y lordosis.

Todos tenemos la columna curvada, pero en este caso ésta se curva de lado a lado. Esta dolencia afecta a la columna y a las vértebras lumbares, y entre sus síntomas figuran la curvatura de la columna, la falta de alineación de los omóplatos y el dolor de espalda. Algunos niños nacen con escoliosis, pero lo más frecuente es que se desarrolle en la pubertad. En la escoliosis grave, la caja torácica puede resultar afectada, con problemas cardíacos y respiratorios. El tratamiento varía según la gravedad de la curvatura. Algunos son tratados con abrazaderas ortopédicas y ejercicio, con el fin de evitar que la deformación se intensifique aún más; otros necesitan cirugía correctora.

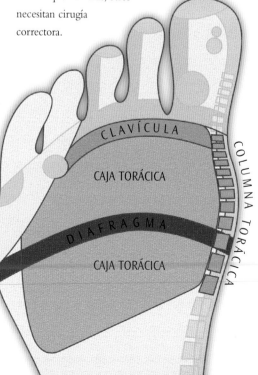

Áreas del pie
La curva natural del pie imita la curva de la columna torácica. Si deseas tratar problemas en esta última zona, trabaja sobre los siguientes puntos reflejos.

CLAVÍCULA

CAJA TORÁCICA

DIAFRAGMA

CAJA TORÁCICA

COLUMNA TORÁCICA

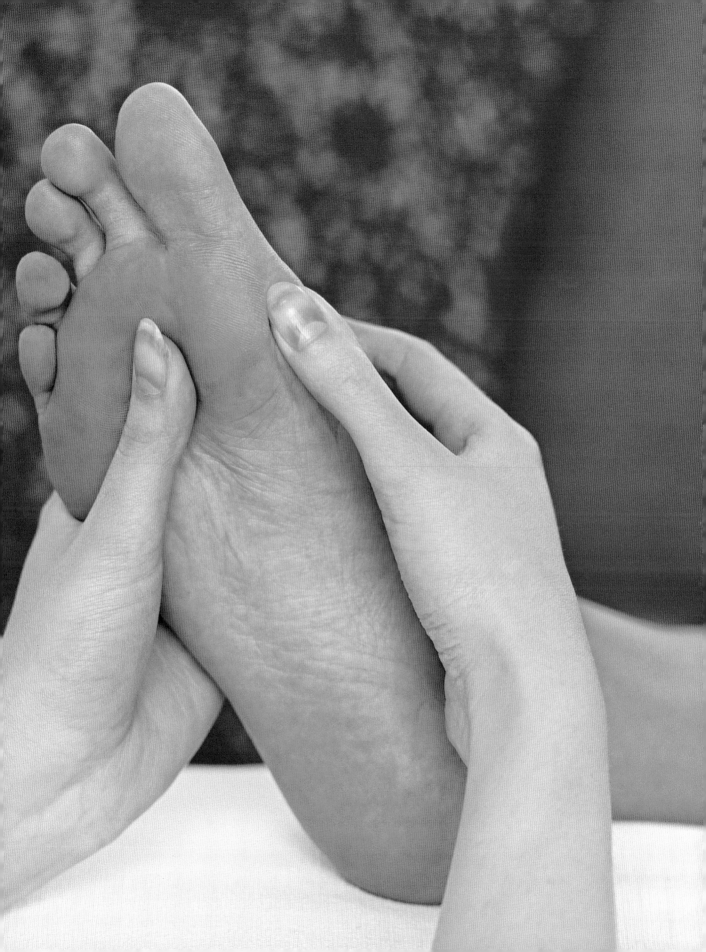

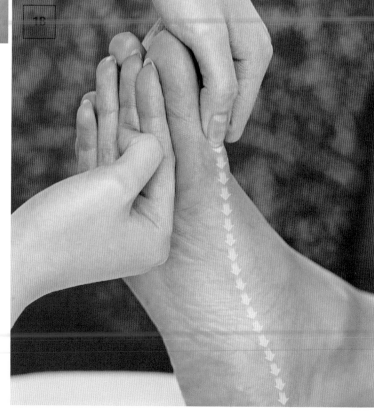

Dolor en el tercio superior de la espalda

Para tratar el malestar del tercio superior de la espalda, sujeta el pie derecho con la mano izquierda y asciende por la cara interior del pie con el pulgar derecho (1A), para descender posteriormente con el pulgar izquierdo (1B). Invierte la posición de las manos para tratar el pie izquierdo.

Cifosis

La cifosis es una curvatura exagerada de la espalda que afecta a las vértebras torácicas. La columna se encorva, los hombros caen hacia delante y el tercio superior de la espalda adquiere un aspecto redondeado. Por fortuna, la reflexología ayuda a aliviar el dolor del área curvada. Ciertas afecciones como la osteoporosis o la osteoartritis también suelen provocar cifosis, al igual que el exceso de peso corporal y la mala postura.

Lordosis

En ciertos casos, cuando el tercio inferior de la columna se ve forzado a compensar la excesiva curvatura de su extremo superior, la cifosis puede derivar en lordosis. En el cuadro de lordosis la columna lumbar se curva hacia dentro, haciendo que el estómago sobresalga. Esta afección resulta bastante frecuente durante el embarazo.

Caja torácica

Para relajar la caja torácica y aliviar el dolor, presiona la planta del pie derecho con los pulgares (2A). Con la técnica del deslizamiento con presión, recorre la cara anterior del pie con los dedos de ambas manos (2B y 2C). Repite sobre el pie izquierdo.

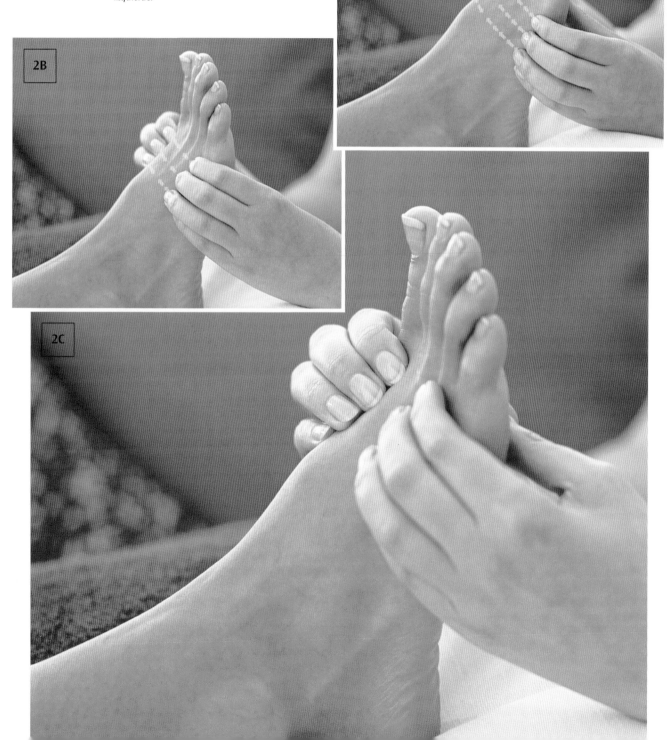

Ejercicios para el tercio superior de la espalda

La autotracción es un método muy eficaz para aliviar el dolor de las costillas, pero debe llevarse a cabo con extrema precaución. Busca un árbol fuerte con una buena rama que pueda soportar tu peso. Agárrate de ella con firmeza, con una mano a cada lado, y eleva los pies del suelo durante unos segundos. Este estiramiento separa las vértebras y alivia el malestar.

Repite el ejercicio varias veces, pero detente de inmediato si sientes malestar. En el caso de que prefieras practicar esta actividad bajo techo, puedes colgarte del cerco de una puerta (siempre que sea suficientemente fuerte) o de una barra fija del gimnasio. En cualquier caso, siempre comprueba que el elemento elegido soporte sin problemas tu peso corporal.

Para aliviar los dolorosos espasmos de la caja torácica, practica este ejercicio respiratorio, cuya finalidad es estirar toda esa zona. Ponte de pie, con los brazos relajados a ambos lados del cuerpo. Inspira lo más profundamente que puedas (1), contén la respiración durante diez segundos (2) y espira con lentitud (3). Repite varias veces.

Autotracción

Ejercicio respiratorio

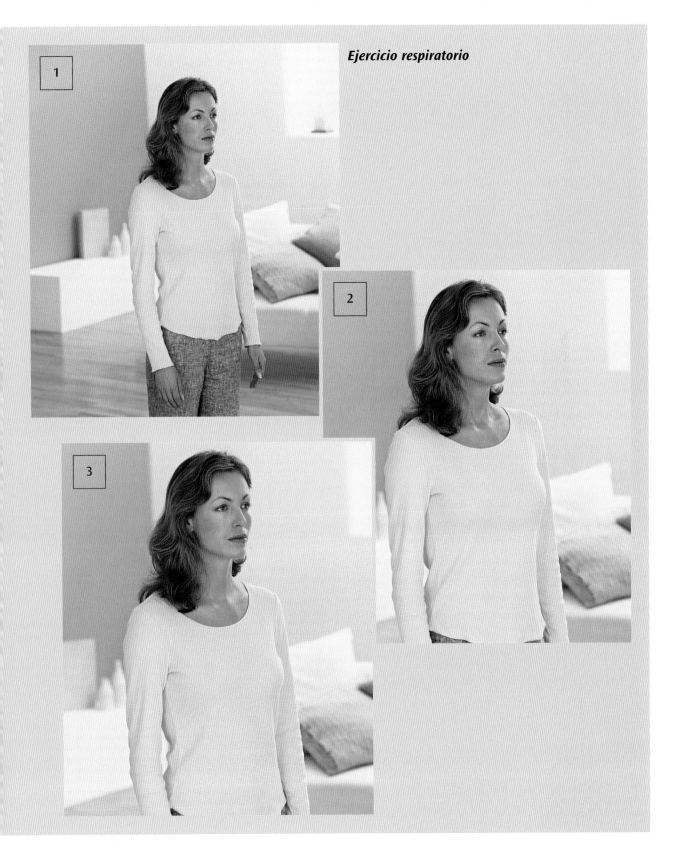

CÓMO TRATAR EL HOMBRO, EL BRAZO Y LA MANO

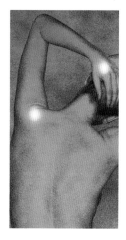

Hombro, brazo y mano
Todas estas zonas pueden resultar afectadas por problemas en el cuello y la espalda.

Los hombros, los brazos y las manos son muy flexibles. La articulación del hombro permite un abanico de movimientos mucho mayor que la de la cadera, y las manos son capaces de realizar acciones increíblemente finas y sutiles.

Los problemas del cuello y el tercio superior de la columna pueden provocar dolor en los hombros, los brazos y las manos. Algunos de los síntomas son la sensación de hormigueo en los dedos, la debilidad de las muñecas —que dificulta acciones tan sencillas como abrir un frasco— y el malestar percibido al elevar los brazos por encima de la cabeza, situación que convierte el gesto de peinarse en un gran esfuerzo.

El tercio superior del brazo se une al hombro mediante una articulación giratoria que, normalmente, permite que el brazo se mueva en círculo hacia arriba, abajo, delante y atrás.

Hombro congelado

Uno de los problemas más frecuentes de esta zona es el denominado hombro congelado, una afección que suele estar relacionada con alguna lesión, el uso excesivo del brazo o la artritis del hombro. Se desconoce su causa exacta, pero por lo general se detecta cierta inflamación de la membrana de la articulación, que restringe su movimiento. Todas las articulaciones poseen una membrana sinovial, delgada y resbaladiza, que recubre la superficie articular y contiene un fluido que favorece el suave movimiento de la articulación. Si no existiera membrana alguna sobre la superficie de las articulaciones, los huesos rozarían entre sí y, en poco tiempo, la articulación se desgastaría por completo.

Cuando la articulación se inflama, la membrana se seca y causa problemas. Por desgracia, la curación del hombro congelado suele llevar mucho tiempo. Los síntomas pueden durar un año o más, pero al final el hombro siempre mejora.

Tratamiento del hombro congelado

Las compresas frías ayudan a reducir la inflamación y alivian el dolor del hombro congelado. Necesitarás un paquete de judías congeladas, un paño húmedo y una toalla de mano. Coloca el paño sobre el hombro dolorido, apoya las judías en su parte superior y cúbrelas con la toalla. Túmbate boca abajo con la compresa fría

Áreas del pie
Para problemas en el hombro, el brazo y la mano, concéntrate en los puntos reflexológicos que aparecen en estas áreas del pie.

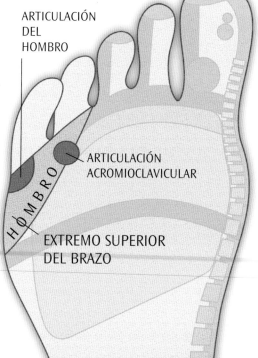

ARTICULACIÓN DEL HOMBRO

HOMBRO

ARTICULACIÓN ACROMIOCLAVICULAR

EXTREMO SUPERIOR DEL BRAZO

Hombro congelado o artrítico

Sujeta el extremo superior del pie derecho con la mano izquierda. Con el pulgar derecho asciende hacia el borde externo del pie, cubriendo la zona situada debajo del cuarto y quinto dedos (1A). Tras cambiar la posición de las manos, desliza el otro pulgar hacia el centro del pie, de abajo a arriba (1B). Invierte la posición de las manos para tratar el pie izquierdo.

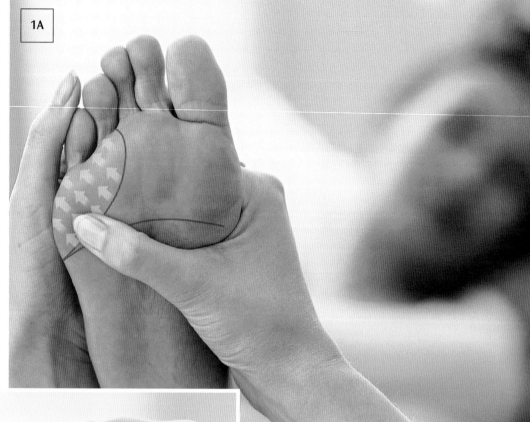

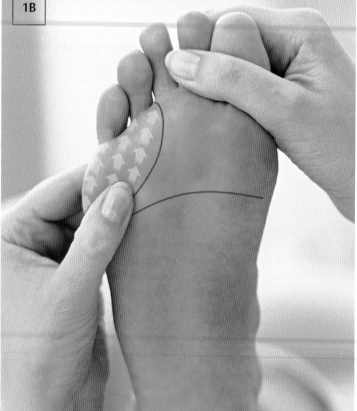

en el hombro durante unos veinte minutos. Si te duele mucho, repite el tratamiento tres o cuatro veces al día, recordando volver a congelar las judías en cada ocasión. Una vez que el dolor del hombro remita un poco y la articulación recupere su movilidad, deberías comenzar a practicar algunos ejercicios (véanse páginas 88-89). Con la ayuda del tratamiento de las zonas reflexológicas, más las compresas frías y los ejercicios, el hombro volverá a gozar de su movilidad completa y dejará de experimentar dolor.

Síndrome del túnel carpiano

Los pequeños huesos de la muñeca reciben el nombre de carpianos, y el túnel carpiano es el espacio que los separa, sumado al ligamento que recorre la zona.

El síndrome del túnel carpiano —o lesión por esfuerzo repetitivo, que es su nombre más popular— es un trastorno frecuente y doloroso que se desencadena cuando el nervio mediano, que se extiende desde la mano hasta el antebrazo, resulta presionado o comprimido en el interior del túnel carpiano (véase tratamiento, página 87).

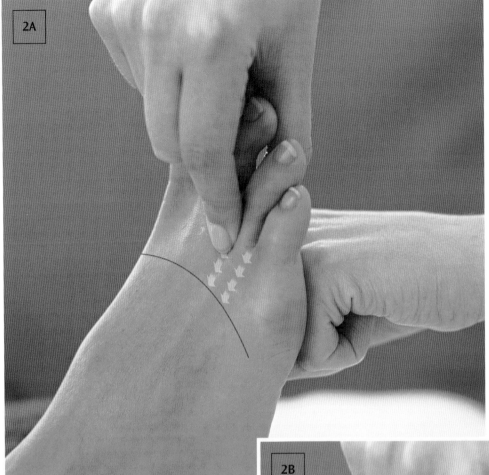

2A

2B

Cara anterior del hombro

Apoya el pie derecho contra tu puño izquierdo. Aplicando el deslizamiento con presión con el índice derecho, desciende por el surco situado entre el tercero y el cuarto dedos (2A).

Continúa descendiendo por el surco que separa el cuarto y el quinto dedos (2B), e invierte la posición de las manos para tratar el pie izquierdo.

Los primeros síntomas suelen ser una sensación de escozor y hormigueo, en particular en el pulgar, el índice y el dedo corazón, aunque también en la palma de la mano. En tales condiciones se vuelve difícil formar un puño con la mano afectada, coger objetos pequeños y realizar otras tareas. La sintomatología puede experimentarse ocasionalmente o en todo momento, pero por lo general empeora por la noche. Las mujeres son tres veces más propensas que los hombres a sufrir el síndrome del túnel carpiano.

La enfermedad suele tener diferentes causas, pero por lo general deriva de la práctica repetitiva de una misma tarea, como utilizar el teclado del ordenador durante largos períodos o realizar trabajos de montaje. La retención de fluido también puede causar esta dolencia,

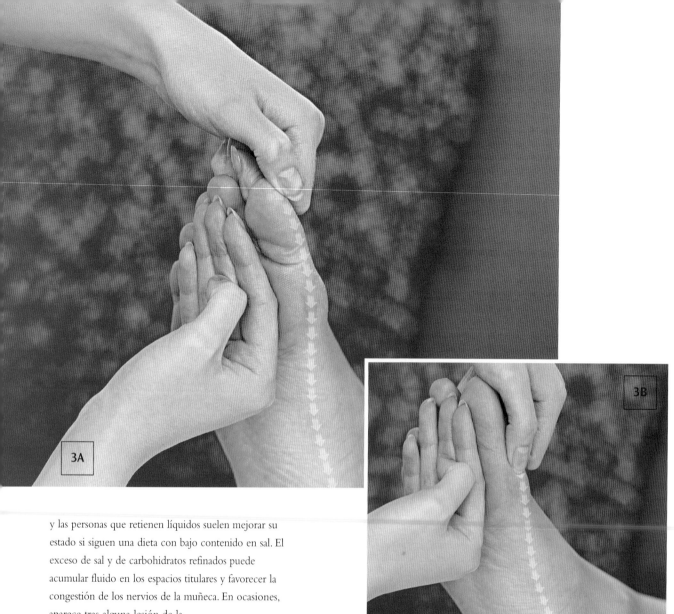

3A

3B

3C

y las personas que retienen líquidos suelen mejorar su estado si siguen una dieta con bajo contenido en sal. El exceso de sal y de carbohidratos refinados puede acumular fluido en los espacios titulares y favorecer la congestión de los nervios de la muñeca. En ocasiones, aparece tras alguna lesión de la muñeca, aunque no es lo más habitual.

El síndrome del túnel carpiano es frecuente entre las mujeres embarazadas, porque los cambios hormonales, en particular el elevado nivel de estrógeno, crea más fluido en los tejidos. La fluctuación hormonal que las mujeres experimentan durante la menopausia puede originar los mismos síntomas..

Alivio de la sintomatología

Se ha demostrado que la deficiencia de vitamina B_6 es una de las causas subyacentes del síndrome del túnel carpiano, motivo por el cual quienes

Columna (hacia abajo)

Masajear el tercio superior de la columna ejerce un efecto sobre el dolor del hombro, ya que los nervios que parten de toda la columna contribuyen a aliviar la tensión. Apoya el pie derecho contra el dorso de tu mano derecha, y desliza el pulgar izquierdo por el borde interior del pie en sentido descendente (3A, 3B y 3C). Invierte la posición de las manos para tratar el pie izquierdo.

lo padecen necesitan un consumo diez veces superior a la cantidad diaria recomendada.

La cúrcuma (también conocida como el azafrán indio) ha sido empleada, tanto en el sistema médico indio (ayurvédico) como en el chino, para el tratamiento de muchas formas de inflamación. Diversos estudios han demostrado que el aceite volátil de la especia posee propiedades antiinflamatorias. El tratamiento con compresas frías (véanse páginas 82-84) también mejora el cuadro general.

Prevención del síndrome del túnel carpiano

Si estás expuesto a sufrir esta dolencia, sería recomendable que practicaras ejercicios de estiramiento en el trabajo y te tomaras descansos regulares con el fin de relajar las muñecas y las manos. Algunas personas consideran beneficioso entablillarse las muñecas o

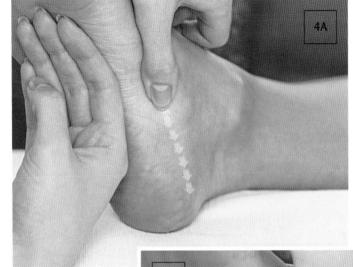

Columna (hacia abajo)

Apoyando el talón derecho contra el dorso de tu mano derecha, desciende por el borde medial del pie hasta la base del talón (4A y 4B). Invierte la posición de las manos para tratar el pie izquierdo.

utilizar soportes para las mismas mientras escriben en el teclado; en cualquier caso, intenta siempre situarte correctamente frente al ordenador. Hay quienes afirman que mantener las manos calientes durante el trabajo también ayuda, así que, si lo deseas, puedes utilizar guantes sin dedos.

Muñeca: síndrome del túnel carpiano

Este área del extremo superior del pie contiene los puntos reflejos para la muñeca. Sujeta el pie derecho y presiona la planta con ambos pulgares; a continuación, con los dedos índice y corazón de las dos manos, recorre la cara anterior del pie dos o tres veces (5). Repite con el pie izquierdo.

Sencillos ejercicios para el hombro

En cuanto el hombro congelado comienza a provocar menos dolor y recupera su movilidad, se encuentra en condiciones de practicar el ejercicio conocido como «caminar con los brazos». Ponte de pie frente a una pared, y acércate a ella todo lo posible. Comenzando a nivel de la cintura, «camina» con los dedos de las manos por la pared hasta elevar los brazos por encima de la cabeza (1, 2 y 3).

Otro buen ejercicio consiste en extender los brazos a ambos lados del cuerpo (4), llevarlos hacia el frente (5) y, finalmente, extenderlos hacia atrás (6). Deberás practicar estas actividades con perseverancia durante varios días para llegar a realizarlas de forma absolutamente correcta, pero el esfuerzo merecerá la pena.

Caminar con los brazos

Rotación de hombros

CÓMO TRATAR EL TERCIO INFERIOR DE LA ESPALDA

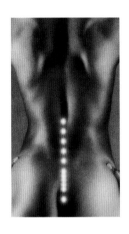

Tercio inferior de la espalda
Las cinco vértebras lumbares son más fuertes y densas que las cervicales y torácicas. Esta fortaleza resulta fundamental, ya que nos permite mantenernos de pie, caminar y levantarnos.

La parte inferior de la columna está compuesta por cinco vértebras lumbares, que son las de mayor tamaño porque soportan la casi totalidad del peso corporal. Debajo de ellas se encuentran los cinco huesos fusionados del sacro, pieza que actúa como el ancla de la base de la columna, y en su extremo inferior aparece el cóccix. El área inferior de la columna causa más dolor y problemas que el resto de la espalda, y provoca que muchas personas no se encuentren en condiciones de acudir a sus puestos de trabajo. El lumbago, la ciática y el prolapso discal son algunos de los problemas relacionados con la columna lumbar.

La columna lumbar gira y se inclina para permitir un espectro de movimientos que ninguna máquina puede igualar. Equipado con amortiguadores altamente sofisticados y un notable sistema de lubricación, el esqueleto humano también es, asimismo, más perecedero que cualquier creación humana.

El dolor en el tercio inferior de la espalda puede deberse a varias causas, entre las que figuran el esguince muscular, la artritis (véase página 12) y la osteoporosis (véanse páginas 106–109). El sobrepeso y el tabaquismo también pueden perjudicar la zona. Para mantener toda esta región en buenas condiciones, practica ejercicio físico con regularidad, ten cuidado al levantar objetos pesados, mantente en tu peso y cuida tu postura (véase página 15).

La salud de los cartílagos

Si tienes problemas en el tercio inferior de la espalda, habitualmente te despiertas sintiéndote rígido y tenso. Cuanto más dolor sufres, menos te apetece practicar ejercicio físico y, por consiguiente, el problema empeora.

La razón de tal rigidez suele ser el deterioro del cartílago blando que cubre el extremo de los huesos en su punto de unión con las articulaciones. Probablemente hayas percibido esta sustancia fuerte, flexible y elástica al comer alitas o muslo de pollo. Para que las articulaciones

se mantengan en buenas condiciones, es fundamental que el cartílago —que protege a los huesos de los miles de ínfimos impactos causados por cada uno de tus movimientos— conserve su elasticidad. La flexibilidad y fortaleza del cartílago permite la fricción de los extremos de los huesos entre sí sin que se produzca daño alguno en su superficie. De hecho, el cartílago de la articulación

Áreas del pie
Para trabajar sobre el tercio inferior de la espalda, concentra el tratamiento reflexológico en las siguientes áreas.

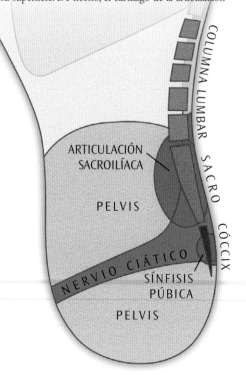

COLUMNA LUMBAR

SACRO

CÓCCIX

ARTICULACIÓN SACROILÍACA

PELVIS

NERVIO CIÁTICO

SÍNFISIS PÚBICA

PELVIS

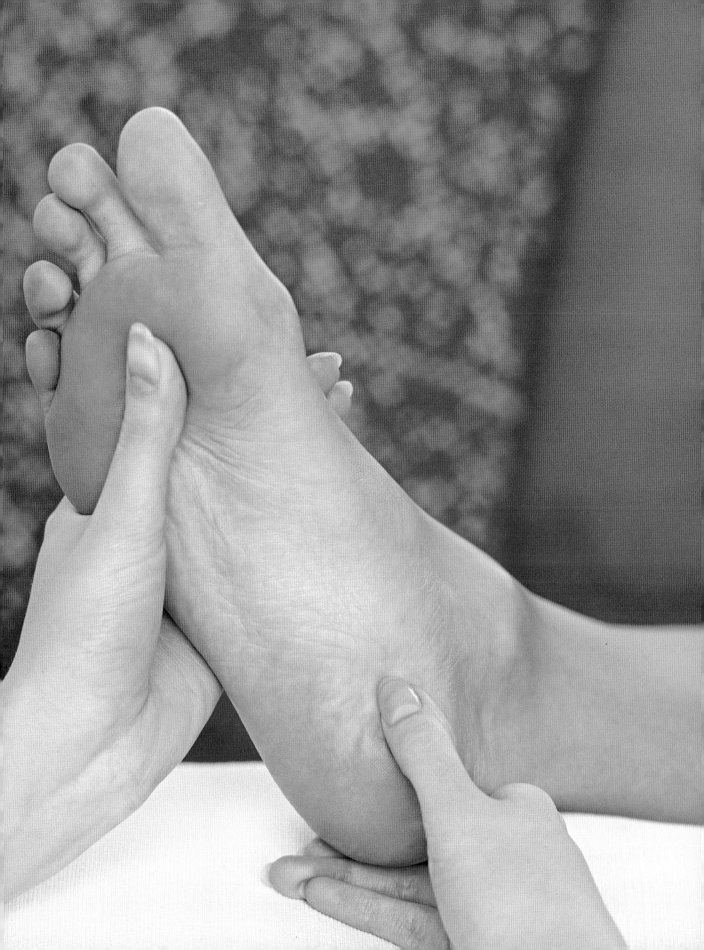

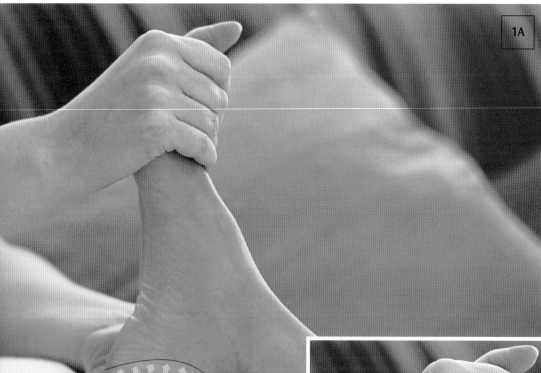

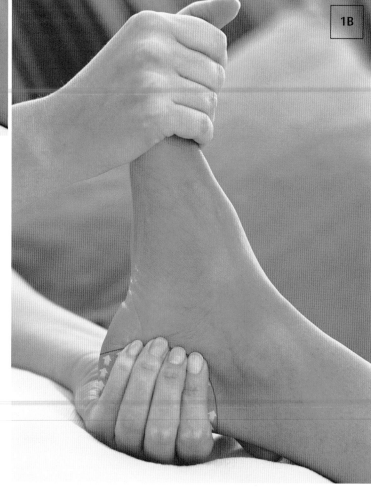

Cóccix

Para tratar problemas de cóccix, sujeta el extremo superior del pie derecho con la mano de ese mismo lado. Usando los cuatro dedos de la mano izquierda, asciende por el interior del talón (1A y 1B). Invierte la posición de las manos para tratar el pie izquierdo.

acumula agua con el fin de facilitar que las superficies se rocen entre sí con suavidad durante el movimiento articular.

Las articulaciones bien hidratadas soportan mejor el peso corporal y se mueven con mayor facilidad. Si las articulaciones se deshidratan, se produce más fricción en la articulación; entonces el cartílago se deteriora y surgen el dolor y las lesiones. Quien sufre dolor en el tercio inferior de la espalda debería incrementar su ingesta de agua y reducir o eliminar el consumo de bebidas deshidratantes, incluido el café y el alcohol.

Músculos fuertes

También es importante mantener los músculos fuertes para que puedan sustentar la columna vertebral, las nalgas y el abdomen. De hecho, la debilidad de los músculos abdominales suele debilitar el tercio inferior

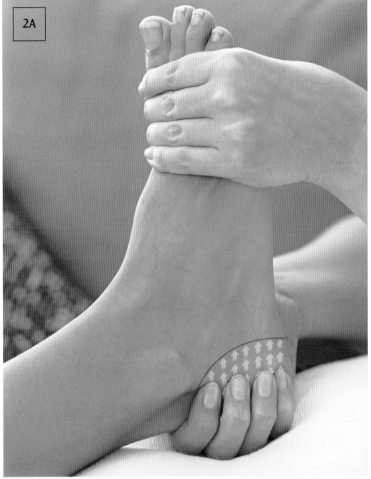

2A

de la espalda. Actualmente, la imagen del hombre cargando un gran peso en el abdomen es bastante habitual: hablamos de la llamada «tripa cervecera». Este peso añadido se transforma en una presión constante sobre el tercio inferior de la espalda, y no sólo suele derivar en una muy mala postura, sino que además produce dolor y estrés en la columna lumbar.

Ciática

El ataque de ciática produce uno de los dolores más intensos que se puedan experimentar. Un ataque agudo puede confinar al paciente a la cama, ya que hasta el más mínimo movimiento produce dolor.

Los nervios ciáticos son los más extensos del cuerpo, y cada uno de ellos tiene el tamaño del dedo meñique; ten en cuenta que la mayoría de los nervios corporales son tan delgados como un pelo. El nervio ciático es el

Cadera y pelvis

Para tratar problemas pélvicos y de cadera, como la cadera artrítica, sujeta el pie derecho con la mano izquierda y masajea la parte exterior del talón con la mano derecha (2A y 2B). Invierte la posición de las manos para tratar el pie izquierdo.

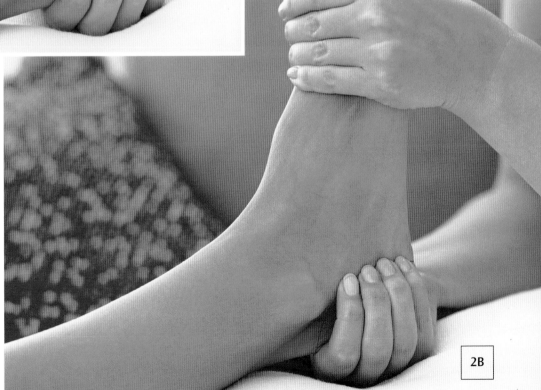

2B

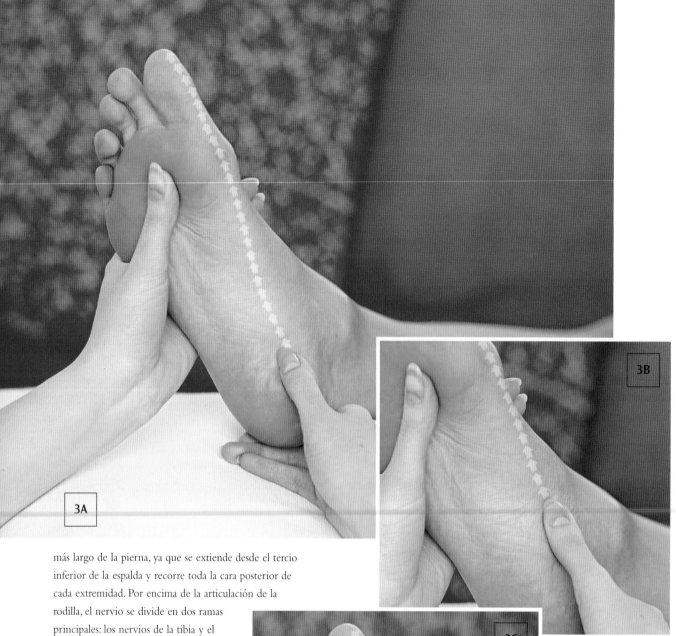

3A

3B

3C

más largo de la pierna, ya que se extiende desde el tercio inferior de la espalda y recorre toda la cara posterior de cada extremidad. Por encima de la articulación de la rodilla, el nervio se divide en dos ramas principales: los nervios de la tibia y el peroneal común, que atraviesan las piernas hasta llegar a los pies.

Por lo general, la ciática deriva de una lesión en la cuarta y quinta vértebras lumbares y el sacro. El síntoma más habitual es el dolor, que se extiende por la cara posterior del muslo, cruza la nalga y afecta la cadera, la pierna y el pie. Por lo general, resulta imposible levantar la pierna de la cama, y muchas personas ni siquiera consiguen ponerse en pie.

La causa más frecuente del dolor ciático es la hernia discal. Esta situación se produce cuando el núcleo de un disco sale hacia el

Columna (hacia arriba)

Para tratar el dolor del área lumbar, como los problemas discales o los esguinces, masajea la columna en dirección ascendente. Sujeta el pie derecho con la mano izquierda y, con el pulgar, aplica la técnica del deslizamiento con presión sobre el borde interior del pie (3A, 3B y 3C) hasta alcanzar el primer dedo. Repite sobre el pie izquierdo, empleando el pulgar de ese mismo lado.

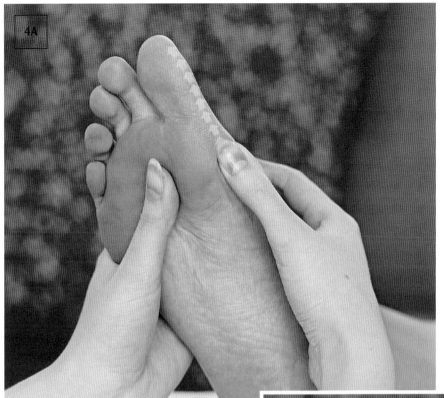

4A

Columna (hacia arriba)

Este tratamiento resulta beneficioso en todas las dolencias de la espalda. Sujeta el pie derecho con la mano izquierda, y recorre la totalidad del borde interior del pie con el pulgar derecho (4A y 4B). Invierte la posición de las manos para tratar el pie izquierdo.

Las compresas frías son recomendables para cualquier zona inflamada, así que también pueden utilizarse en los casos de ciática (véase página 82). Asimismo, se debe evitar el consumo de alcohol, azúcar y alimentos con alto contenido proteínico durante los ataques de ciática, puesto que estas sustancias pueden incrementar la acidez de la sangre y aumentar el dolor.

4B

exterior y se hernia, provocando un cuadro de hinchazón e inflamación que presiona el nervio ciático. El prolapso discal puede producirse de forma repentina, como por ejemplo tras levantar un objeto pesado.

La ciática también es frecuente durante el embarazo, cuando el exceso de peso presiona el nervio ciático, y en la vejez, debido a los cambios que se producen en la columna a causa de la artritis y otras afecciones. La ciática que se desarrolla durante el embarazo suele desaparecer una vez que nace el bebé.

Por lo general, sólo resulta afectada una pierna. El dolor puede durar un par de semanas, pero suele reaparecer.

Tratamiento de la ciática

La reflexología ha demostrado una gran eficacia en el tratamiento de la ciática, en particular combinada con otras medidas de autoayuda, como descansar sobre un colchón firme y realizar ejercicio físico suave. También resulta conveniente que la persona afectada se coloque una almohada entre las piernas cuando duerme de lado, ya que evitará la presión del nervio ciático.

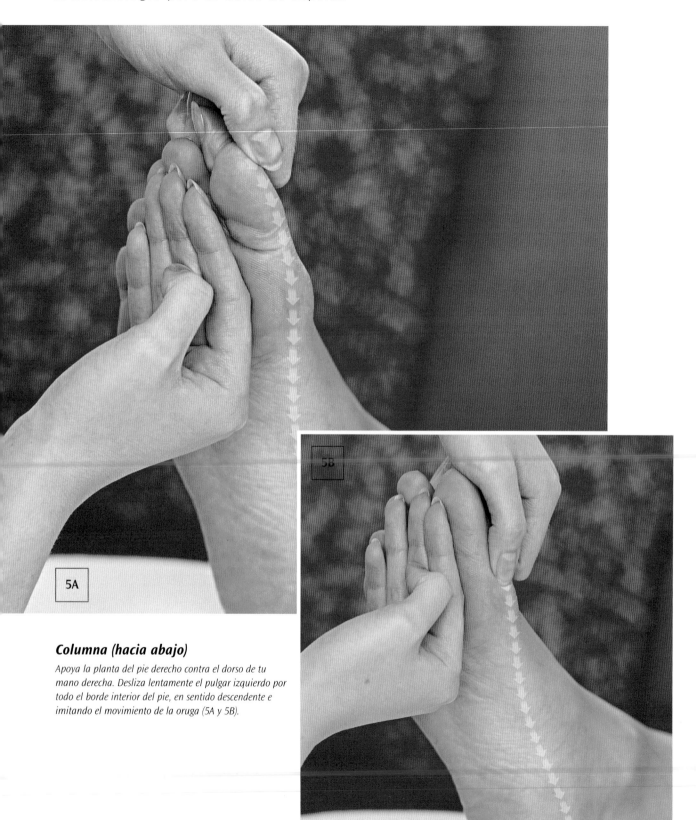

5A

5B

Columna (hacia abajo)

Apoya la planta del pie derecho contra el dorso de tu mano derecha. Desliza lentamente el pulgar izquierdo por todo el borde interior del pie, en sentido descendente e imitando el movimiento de la oruga (5A y 5B).

Columna (hacia abajo)

Continúa masajeando la cara lateral del pie con el pulgar, en sentido descendente y simultáneamente desplazando hacia abajo la mano que sujeta la extremidad (5C, 5D y 5E). Invierte la posición de las manos para tratar el pie izquierdo.

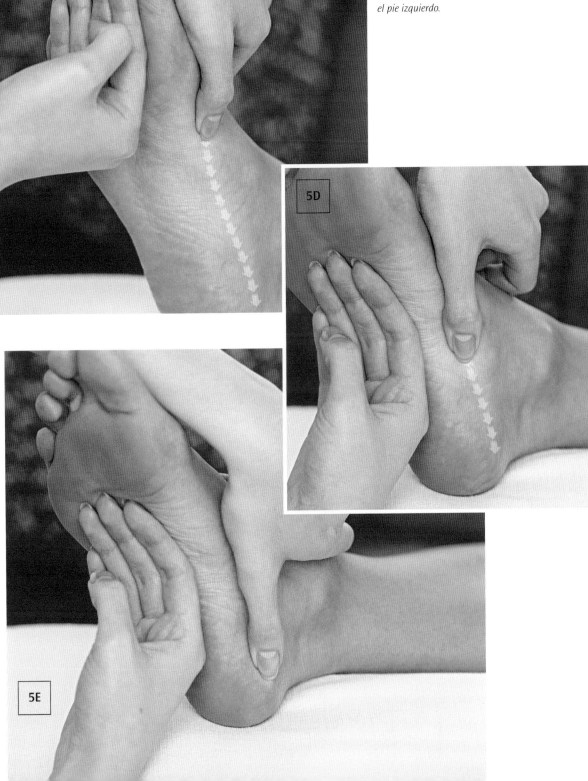

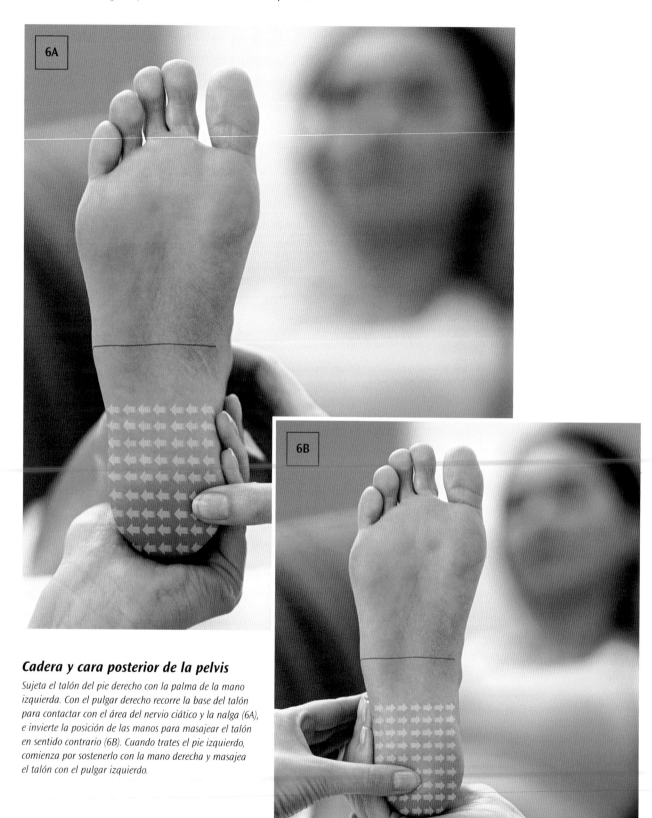

Cadera y cara posterior de la pelvis

Sujeta el talón del pie derecho con la palma de la mano izquierda. Con el pulgar derecho recorre la base del talón para contactar con el área del nervio ciático y la nalga (6A), e invierte la posición de las manos para masajear el talón en sentido contrario (6B). Cuando trates el pie izquierdo, comienza por sostenerlo con la mano derecha y masajea el talón con el pulgar izquierdo.

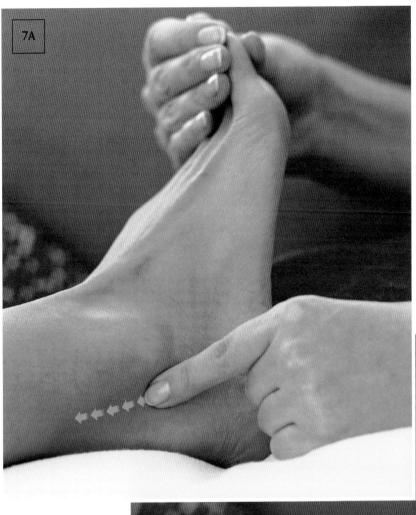

7A

Ciática primaria

Sujeta el extremo superior del pie derecho con la mano de ese mismo lado. Desliza el índice izquierdo por el área situada por debajo del hueso del tobillo (7A), y continúa ascendiendo unos 4 cm más (7B). Invierte la posición de las manos para tratar el pie izquierdo.

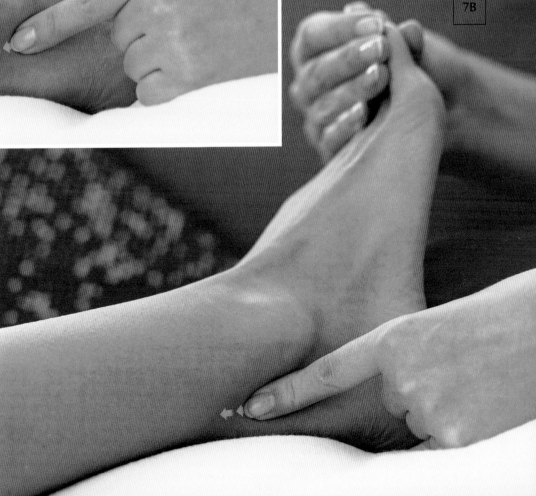

7B

Ciática secundaria

El punto de la ciática secundaria se encuentra en el talón, aproximadamente entre el extremo inferior del pie y la línea pélvica. Utilizando el pulgar, recorre esta línea con un movimiento de oruga desde la cara medial del pie derecho hasta su cara lateral. Repite dos o tres veces (8), y reitera el tratamiento en el pie izquierdo.

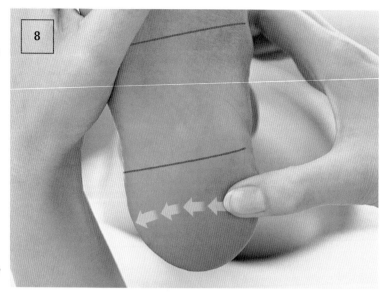

Punto de estimulación espinal

Este punto reflejo, que da energía a toda la columna, se encuentra a mitad de la cara medial del pie. Con el pulgar izquierdo realiza cinco o seis rotaciones firmes en este punto (9) sobre el pie derecho, y repite en el pie izquierdo.

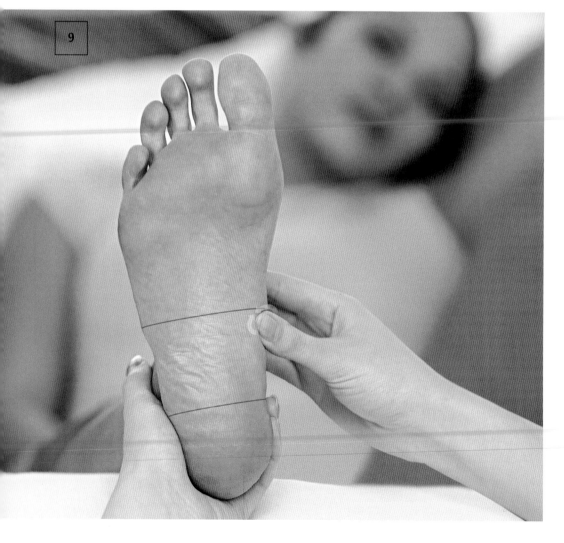

Ejercicios para el tercio inferior de la espalda

Los ejercicios físicos regulares ayudan a mantener la movilidad del tercio inferior de la espalda. Si te duele esa zona, la «postura del gato», seguida de la «postura del niño», que ayuda a relajar la columna, te resultarán muy beneficiosas.

Inspira y curva la columna hacia el techo, mientras dejas caer la cabeza hacia el suelo (1). Mantén la postura durante varias respiraciones y, cuando espires, arquea ligeramente la espalda (2). Eleva la cabeza y mira hacia el frente.

Postura del gato

Colócate a «cuatro patas», procurando que tus manos queden situadas en línea con los hombros y las rodillas con la cadera. Mantén la espalda recta y mira hacia el suelo.

Postura del niño

Siéntate sobre los talones y apoya la frente en el suelo. Estira los brazos hacia delante y permanece en esta posición mientras respiras tranquilamente durante unos tres minutos (3).

Postura del gato

Postura del niño

CÓMO TRATAR LA RODILLA Y EL CODO

La articulación de la rodilla es una de las más grandes del cuerpo y, como tal, necesita mantener su estabilidad para soportar el peso del cuerpo, además de su flexibilidad para permitir movimientos como andar, agacharse, correr, saltar y girar. La rodilla es la única articulación del cuerpo capaz de moverse hacia delante y atrás; en la práctica, la rótula o patela —que calza perfectamente en la «bisagra» de la rodilla— se encarga de evitarlo. Si la rótula se rompe, la parte inferior de la pierna puede moverse hacia delante.

La articulación del codo permite que los brazos se flexionen y extiendan, pero no está expuesta a tanta presión ni al mismo desgaste que la de la rodilla.

Articulaciones de bisagra
La rodilla y el codo son articulaciones de bisagra, lo cual significa que su función consiste en flexionar o extender las piernas y los brazos. La rodilla es una articulación más compleja que la del codo, ya que también puede rotar ligeramente.

Debido a que las rodillas tienen tanto que hacer, están muy expuestas a lesionarse. Existen dos tipos de problema de rodilla: los mecánicos, causados por accidentes o lesiones, y los inflamatorios, provocados por afecciones tales como la bursitis y la artritis. Independientemente del origen del problema, la reflexología ayuda a aliviar el dolor de rodilla.

Lesiones de rodilla

Las lesiones de rodilla derivadas de la práctica deportiva son muy frecuentes. El cartílago que protege los huesos de la rodilla pueden desgarrarse o lesionarse, por no mencionar que la articulación está expuesta a dislocarse debido a un gran esfuerzo, y que los ligamentos y los músculos también pueden desgarrarse. Si sufres alguna de estas lesiones, descansa la rodilla todo lo que puedas y aplica compresas frías (véase página 82) varias veces al día.

Condromalacia

La condromalacia es una dolencia que afecta al cartílago situado en la cara posterior de la rótula, y que está relacionada con el uso excesivo de la articulación. Es muy frecuente entre los corredores, los esquiadores, los ciclistas y las personas que practican deportes con balón, y suele afectar principalmente a los adolescentes

y a los adultos jóvenes. Los síntomas de la condromalacia incluyen la aparición de dolor debajo o alrededor de la rótula, que puede empeorar al bajar escaleras o descender por una colina, y la rigidez de la articulación, en ocasiones combinada con una serie de chasquidos durante su movimiento. Por lo general, sólo una rodilla resulta afectada, y la dolencia suele mejorar en

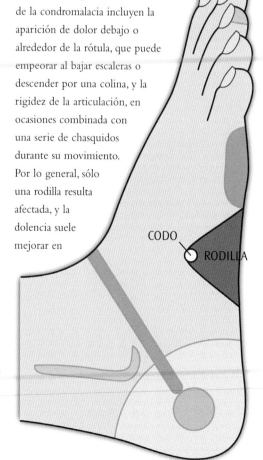

CODO
RODILLA

Áreas del pie
La rodilla y el codo comparten el mismo punto reflejo triangular, situado en la cara lateral del pie.

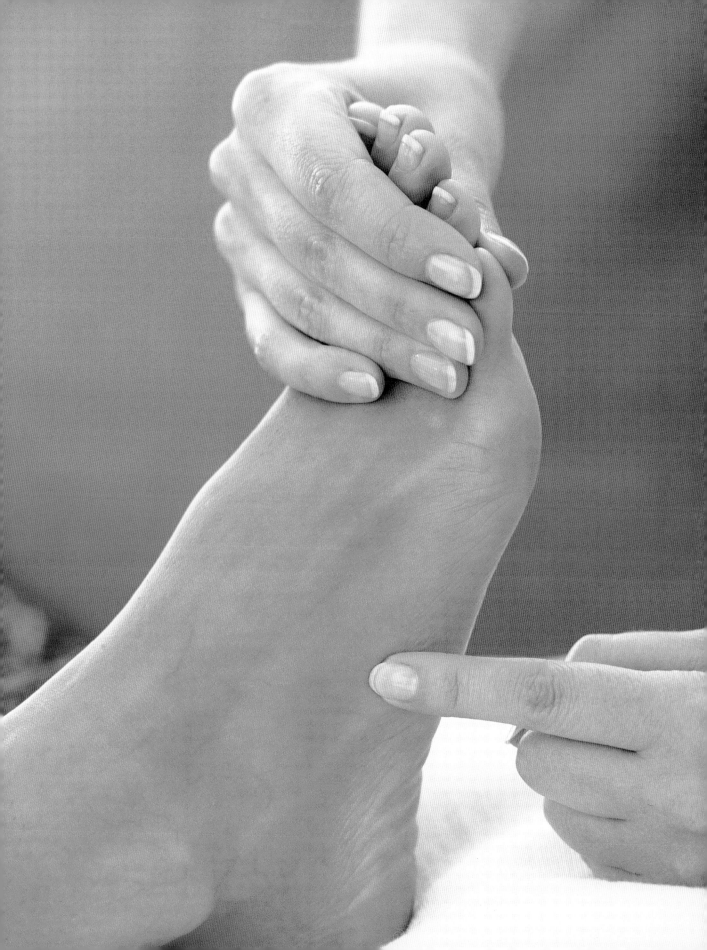

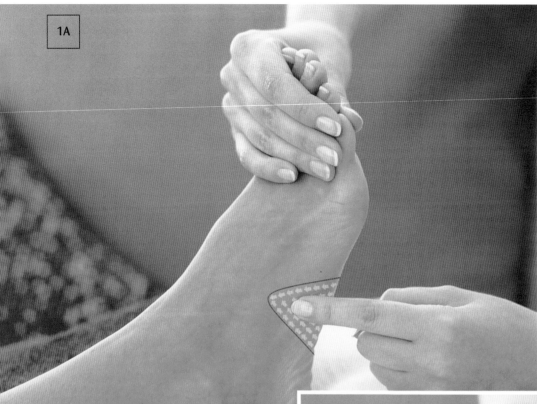

1A

Rodilla y codo

Sujeta el pie derecho con la mano de ese mismo lado, y desliza el índice izquierdo suavemente por el área refleja de la rodilla y el codo, situado en la cara externa del pie (1A y 1B). El reflejo de la rodilla se sitúa en el vértice superior del triángulo, mientras que el del codo se encuentra en el interior del área triangular (véase página 102). Invierte la posición de las manos para tratar el pie izquierdo.

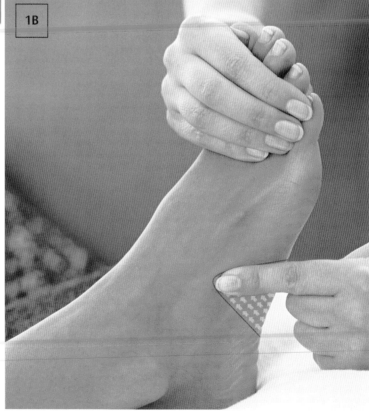

1B

pocos meses. Los casos más graves pueden requerir cirugía. La práctica de ejercicios suaves para fortalecer los músculos, unida a la aplicación de compresas frías, contribuye a aliviar el dolor y reducir la inflamación.

Bursitis

Las bursas son pequeños sacos llenos de fluido que favorecen que la rodilla se mueva con suavidad. El estrés prolongado o repetitivo sobre esta articulación, como el producido por mantenerse arrodillado durante largos períodos, puede derivar en una afección llamada bursitis. (En la época en la que las mujeres pasaban muchas horas arrodilladas fregando suelos, la bursitis era conocida como «rodilla del ama de casa».)

La bursitis se manifiesta cuando las bursas se inflaman, o incluso se hinchan, restringiendo el movimiento de la articulación y provocando dolor. Las personas afectadas de gota o artritis reumatoide tienden a estar más expuestas a la bursitis, enfermedad que también puede afectar a la articulación del codo.

Osteoartritis

La osteoartritis en las articulaciones de las rodillas también es muy frecuente. Quienes la sufren se quejan de dolor e hinchazón en la zona, y se declaran incapaces de mover las rodillas tanto como debieran. Las rodillas artríticas suelen amanecer particularmente rígidas, para poco a poco adquirir mayor movilidad. En ocasiones, la articulación se traba y «suena» cuando la rodilla es flexionada o extendida.

La artritis en la rodilla puede derivar de un gran estrés en la articulación, provocado por una lesión repetida o un peso excesivo. La osteoartritis suele aquejar a los ancianos y las personas de mediana edad; sin embargo, si el afectado es un individuo joven, posiblemente haya heredado la enfermedad o haya sufrido repetidas lesiones en las rodillas.

Conserva la salud de tus rodillas

Cuidar bien tus rodillas te ayudará a evitar problemas y lesiones; por eso, te ofrecemos algunas sugerencias.

Siempre realiza algunos ejercicios de precalentamiento antes de practicar deportes o entrenar en el gimnasio. Recuerda, asimismo, reducir progresivamente la actividad, antes de acabar la sesión, practicando más estiramientos. De esta manera tendrás menos probabilidades de forzar o lesionar tus músculos.

Mantén fuerte la musculatura de las piernas mediante la práctica de ejercicios. Cuanto más débiles sean tus músculos, más tendrán que esforzarse tus rodillas, lo cual las estresará y hará más vulnerables a las lesiones.

Rectifica tu postura; andar y mantenerse de pie de forma incorrecta fuerza excesivamente las rodillas.

La salud de tus rodillas es otra razón para cuidar tu peso corporal. Cuanto más peses, mayor será la carga que han de soportar las rodillas y el riesgo de que sufran.

Dolor de codo

Uno de los problemas más comunes es el codo de tenista. Esta afección se produce cuando el tendón del codo resulta dañado y se inflama, por ejemplo tras cualquier esfuerzo repetitivo de la articulación.

El codo de tenista consiste en la lesión del tendón situado en la parte exterior del codo. El codo de golfista, por el contrario, afecta al tendón de la cara interior. En ambos casos, lo más conveniente es que el codo repose y reciba tratamiento con compresas frías y reflexología.

Un tratamiento para las rodillas y los codos

Las compresas con aceite de castor son un remedio antiguo, pero eficaz, para el alivio del dolor de las rodillas y los codos artríticos. El aceite de castor elimina las impurezas de la articulación y disminuye notablemente el dolor.

Puedes comprar compresas especiales de este aceite, pero resulta muy sencillo prepararlas en casa.

Vierte tres cucharadas de aceite de castor en un cuenco pequeño. Colócalo a continuación en el interior de una cacerola con agua hirviendo, y calienta el aceite a fuego lento. Coge una compresa gruesa de algodón hidrófilo, empápala en el aceite tibio y aplícala sobre la articulación dolorida. A continuación, cubre el área con plástico fino transparente para mantener la compresa en su sitio e intentar mantener la calidez del aceite. Procura cubrir la totalidad de la compresa, ya que el aceite manchará todo lo que toque.

Envuelve toda la zona con una toalla y mantenla así durante toda la noche. Otra posibilidad es que coloques una almohadilla eléctrica sobre la compresa de aceite de castor y la dejes actuar un par de horas.

CÓMO TRATAR LAS DOLENCIAS CRÓNICAS DE LA ESPALDA

Casi todo el mundo ha sufrido dolor de espalda en algún momento de su vida. El dolor crónico se hace más factible a medida que envejecemos y perdemos fuerza en los huesos y tono muscular, por lo que resulta fundamental mantener la espalda lo más sana posible.

Una dolencia crónica de espalda es aquella que dura bastante tiempo: tres meses, o incluso más. Puede derivar de una enfermedad que afecta la salud de los huesos, como la osteoporosis o la osteomalacia, o de una afección como la espondilitis anquilosante. Los problemas de columna, como la dislocación de discos, pueden aparecer tras algún tiempo y causar un intenso dolor.

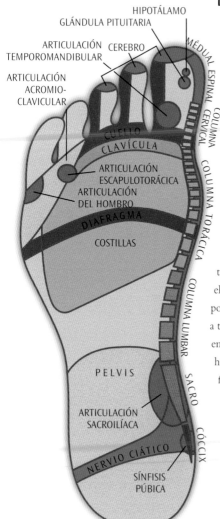

HIPOTÁLAMO
GLÁNDULA PITUITARIA
ARTICULACIÓN TEMPOROMANDIBULAR
CEREBRO
ARTICULACIÓN ACROMIO-CLAVICULAR
MÉDULA ESPINAL
COLUMNA CERVICAL
CUELLO
CLAVÍCULA
ARTICULACIÓN ESCAPULOTORÁCICA
ARTICULACIÓN DEL HOMBRO
COLUMNA TORÁCICA
DIAFRAGMA
COSTILLAS
COLUMNA LUMBAR
PELVIS
SACRO
ARTICULACIÓN SACROILÍACA
CÓCCIX
NERVIO CIÁTICO
SÍNFISIS PÚBICA

Áreas del pie
Trabaja sobre estos puntos reflejos relacionados con la columna y la cadera para aliviar el dolor de espalda crónico.

Las siguientes dolencias son algunas de las causas más frecuentes de dolor crónico de espalda.

Osteoporosis

A medida que envejecemos, los huesos pierden masa y peso porque el cuerpo ya no puede regenerarlos. Los huesos sanos son densos y contienen gran cantidad de calcio y otros minerales; por el contrario, los huesos afectados de osteoporosis carecen de minerales y se tornan quebradizos y porosos. De hecho, el término *osteoporosis* significa «huesos porosos». Esta enfermedad nos perjudica a todos en algún grado a medida que envejecemos, pero en algunas personas los huesos se vuelven tan frágiles que se fracturan con gran facilidad. Todo el esqueleto puede resultar afectado, pero la pérdida de hueso suele ser mayor en la columna, la cadera y las costillas.

Debido a que la columna y la cadera soportan gran cantidad de peso, son susceptibles a sufrir dolor, deformarse y fracturarse.

La osteoporosis en sí misma no causa dolor de espalda; pero sí lo hará si las vértebras se tornan tan débiles que no logran soportar el estrés normal al que están expuestas, o si el paciente sufre un accidente, como una caída.

Las mujeres tienen cuatro veces más probabilidades que los hombres de sufrir osteoporosis, y esta dolencia resulta particularmente frecuente en las mujeres de raza blanca posmenopáusicas. Uno de sus síntomas es una considerable disminución en la estatura.

¿Se puede prevenir la osteoporosis?

Desde luego. A pesar de que, en un esfuerzo por detener la pérdida ósea, se ha intentado impulsar a la población a consumir una mayor cantidad de calcio, la osteoporosis es mucho más que una falta de calcio en la dieta. Se trata de una compleja dolencia en la que participan factores hormonales, nutricionales, medioambientales y del estilo de vida de cada persona. Quienes consumen calcio en abundancia y practican ejercicio físico, como levantamiento de peso durante su juventud, tienen muchas menos probabilidades de sufrir osteoporosis en la vejez.

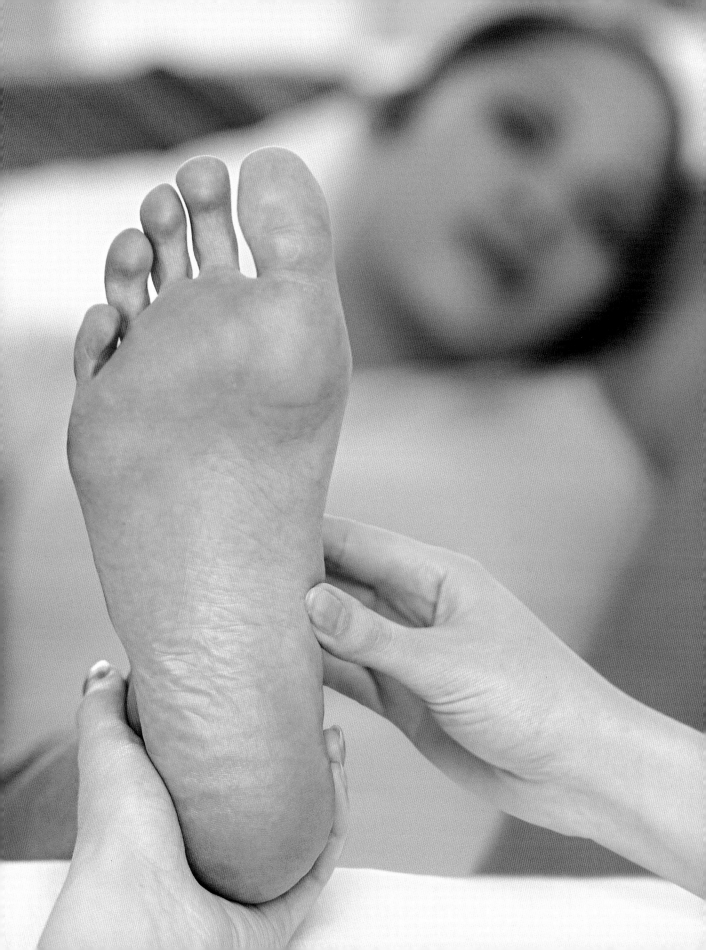

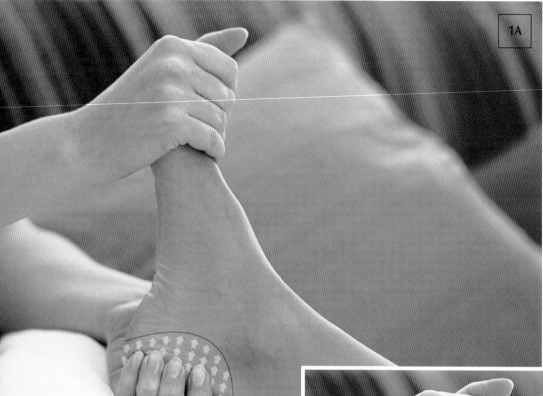

1A

Cóccix

El trabajo sobre la columna suele comenzar en el cóccix. Sujeta el extremo superior del pie derecho con la mano de ese mismo lado. Apoya los cuatro dedos de la mano izquierda sobre el área del cóccix y efectúa reducidos movimientos de oruga en sentido ascendente, por la cara interior del talón (1A y 1B). Invierte la posición de las manos para tratar el pie izquierdo.

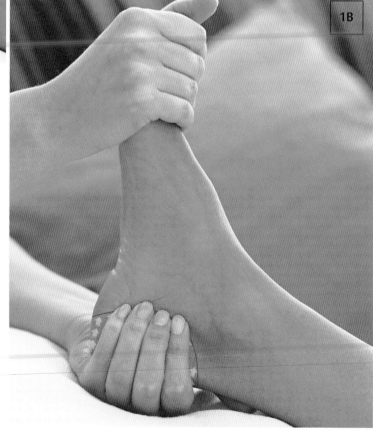

1B

Una causa frecuente de pérdida de calcio entre los habitantes occidentales de la actualidad es la excesiva ingesta de refrescos con gas, como los de cola. Muchos de ellos contienen ácido fosfórico, que provoca la lixiviación del calcio y afecta la masa ósea. Si deseas mantener tus huesos sanos, evita los refrescos con gas.

Los esteroides representan otra de las causas de la pérdida de hueso, y preocupa pensar que, en la actualidad, uno de cada cinco niños utiliza algún tipo de inhalador que contiene medicación con esteroides para controlar el asma. No es de extrañar que los médicos estén detectando pérdida de masa ósea en los niños.

Lo fundamental es incrementar la masa ósea y proteger los huesos durante los años de juventud, en vez de posponer estos cuidados hasta que comiencen a aparecer los primeros síntomas. La prevención siempre es mejor que la cura. Si sufres de osteoporosis, el masaje en la espalda —que incrementa el riego sanguíneo hacia los músculos de la columna— ayuda a aliviar el malestar.

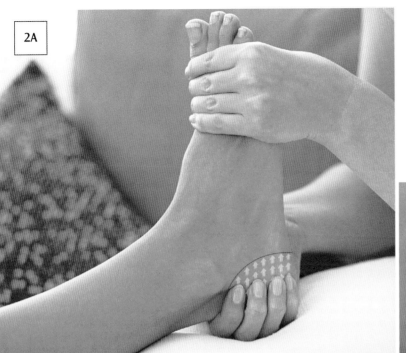

Cadera y pelvis (lateral)

Para trabajar la zona de la cadera y la pelvis, sujeta el extremo del pie derecho con tu mano izquierda y asciende por la cara lateral del talón con los cuatro dedos de la mano derecha (2A y 2B). Invierte la posición de las manos para tratar el pie izquierdo.

Osteomalacia

La osteomalacia, o «hueso blando», está provocada por falta de vitamina D, debida tanto a una ingesta insuficiente como a la incapacidad de absorber esta vitamina. Los huesos se debilitan y fracturan con facilidad, por lo que los pacientes experimentan dolor en la cadera y las piernas. La aplicación de la terapia reflexológica puede aportar un inmenso alivio.

Cadera y pelvis (plantar)

Sosteniendo el pie derecho con la palma de la mano de ese mismo lado, recorre la base del talón de un lado a otro (3). Estos puntos reflejos corresponden a la cara posterior de la pelvis. Invierte la posición de las manos para tratar el pie izquierdo.

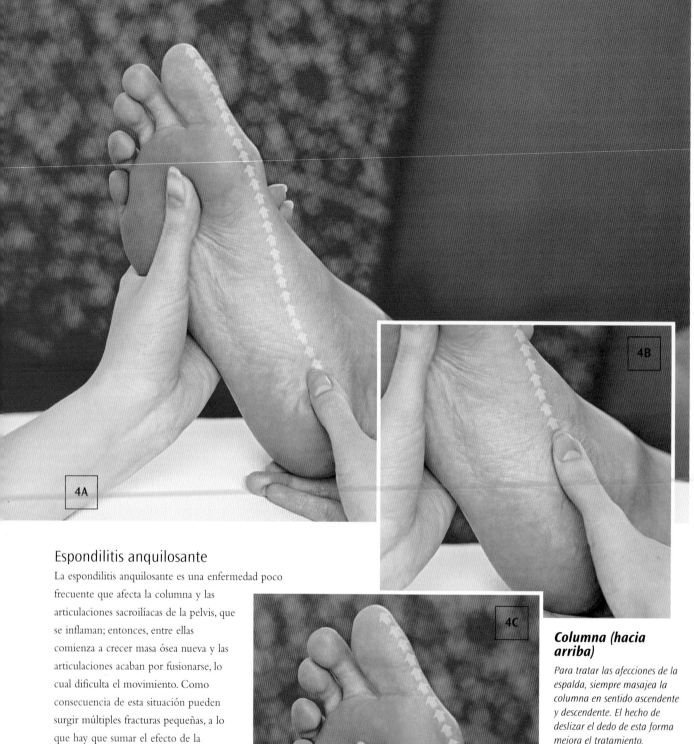

4B

4A

4C

Espondilitis anquilosante

La espondilitis anquilosante es una enfermedad poco
frecuente que afecta la columna y las
articulaciones sacroilíacas de la pelvis, que
se inflaman; entonces, entre ellas
comienza a crecer masa ósea nueva y las
articulaciones acaban por fusionarse, lo
cual dificulta el movimiento. Como
consecuencia de esta situación pueden
surgir múltiples fracturas pequeñas, a lo
que hay que sumar el efecto de la
gravedad, que tiende a inclinar el cuerpo
hacia delante y provoca que el paciente
acabe adoptando una postura incorrecta.
Esta enfermedad afecta principalmente a
los hombres jóvenes. A los pacientes se les
suele recomendar que tomen
antiinflamatorios y practiquen ejercicios

Columna (hacia arriba)

*Para tratar las afecciones de la
espalda, siempre masajea la
columna en sentido ascendente
y descendente. El hecho de
deslizar el dedo de esta forma
mejora el tratamiento.
Recuerda que los puntos
reflejos de la columna siguen
la línea del borde medial del
pie. Sujeta el pie derecho con
la mano izquierda y, con el
pulgar derecho, asciende por la
línea de los puntos reflejos,
comenzando desde la base de
la columna (4A, 4B y 4C).*

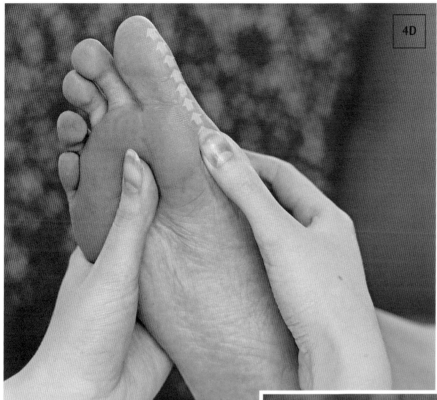

Columna (hacia arriba)

Continúa trabajando sobre los puntos reflejos espinales hasta el cuello (4D y 4E), e invierte la posición de las manos para tratar el pie izquierdo. Este tratamiento resulta beneficioso en todas las dolencias de la espalda, incluyendo la osteomalacia, la espondilitis y la artritis.

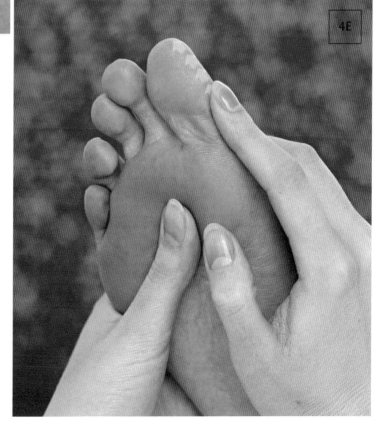

especiales para mantener una cierta amplitud de movimiento en la columna lumbar y la cadera.

La reflexología consigue relajar la columna, y la mayoría de las personas que sufren esta dolencia alcanzan mayor flexibilidad y sufren menos dolor después del tratamiento. Para conseguir el máximo beneficio posible, los enfermos de espondilitis anquilosante deberían someterse a un tratamiento reflexológico regular por tiempo indefinido.

Problemas discales

Los discos espinales son fragmentos de cartílago que separan a las vértebras entre sí. Pero, además de mantener estas piezas óseas a cierta distancia, los discos actúan como amortiguadores de la columna. Cada uno de ellos está compuesto por una fuerte capa exterior y un núcleo blando que se asemeja a la mermelada. A medida que envejecemos los discos se estrechan, y ésa es una de las razones por las que la estatura de los ancianos tiende a mermar.

Los discos se encuentran sometidos a una presión

Columna (hacia abajo)

Después de masajear la columna en sentido ascendente, comienza a descender. Apoya la planta del pie contra el dorso de la mano con la que no estás trabajando, y con el pulgar desciende por el borde medial del pie, comenzando desde el primer dedo (5A y 5B).

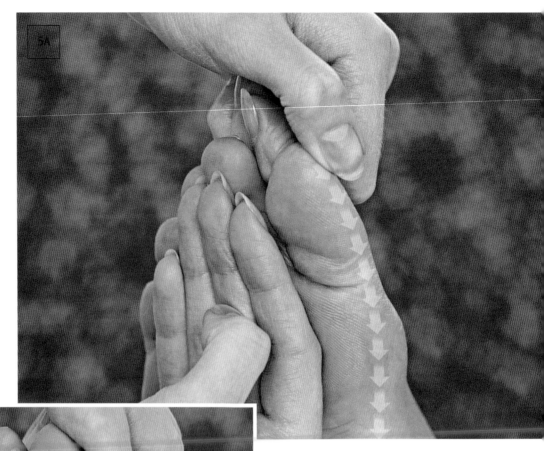

constante, pero no «se dislocan». El término apropiado para hacer referencia a la enfermedad conocida como dislocación de discos es prolapso o hernia discal. En esta afección, el núcleo blando sale al exterior, distorsionando la forma del disco. El área circundante se inflama e hincha, y puede que se produzca algún grado de presión sobre un nervio, circunstancia que causa dolor.

Los problemas discales son más frecuentes en el tercio inferior de la espalda, y los síntomas pueden aparecer tanto después de varias semanas como de forma inmediata y sorpresiva. Entre ellos figura un dolor intenso en la espalda o la cara posterior de la pierna, que dificulta el movimiento y genera espasmos musculares. En estos casos se recomienda reposar para que el disco pueda recuperarse. Sin embargo, no hay que olvidar que esa zona ya se ha debilitado y la espalda requerirá un cuidado especial en el futuro.

Es posible aliviar el dolor y los síntomas que afectan al sistema esquelético si se trabaja sobre todas las áreas reflejas descritas en este capítulo.

Columna (hacia abajo)

Continúa descendiendo por el borde medial del pie con el pulgar, hasta llegar al talón (5C, 5D y 5E). Invierte la posición de las manos para tratar el pie izquierdo.

Dolor cervical crónico

Para tratar el dolor crónico del cuello, sujeta el pie derecho con tu mano izquierda. Desliza el pulgar derecho por el borde exterior de los tres primeros dedos (6A, 6B y 6C), e invierte la posición de las manos para tratar el pie izquierdo.

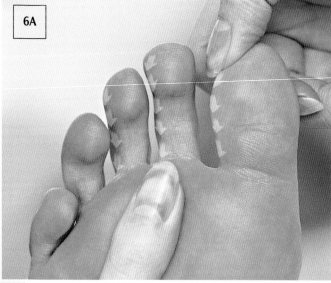

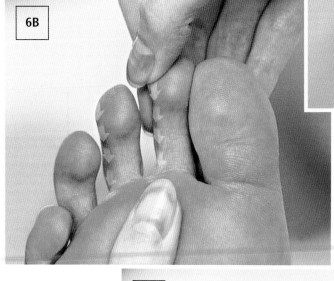

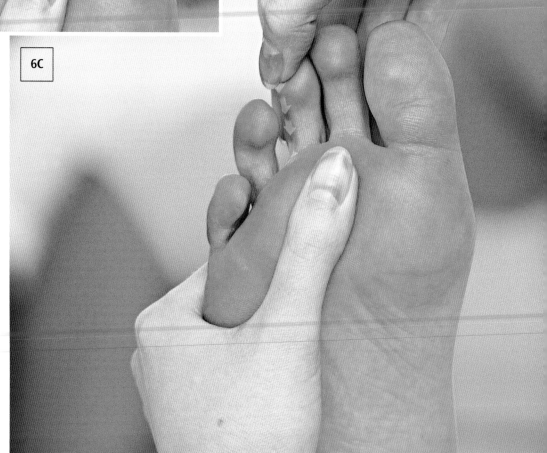

Dolor de cuello (plantar)

Para tratar la rigidez del cuello, la artritis y el latigazo cervical, sujeta el pie derecho con la mano izquierda y masajea con el pulgar derecho la base de los tres primeros dedos (7). Invierte la posición de las manos para tratar el pie izquierdo.

Dolor de cuello (dorsal)

Forma un puño con la mano izquierda y presiónalo contra la planta del pie derecho. Masajea la base de los tres primeros dedos con el índice derecho (8), e invierte la posición de las manos para tratar el pie izquierdo.

Hombro (plantar)

Para tratar el dolor crónico de hombro, apoya el extremo superior del pie derecho contra tu mano izquierda. Con el pulgar derecho recorre el área refleja del hombro hacia fuera, emulando el movimiento de la oruga (9A), y a continuación sujeta el pie con la mano derecha mientras recorres la zona refleja hacia dentro con el pulgar izquierdo (9B). Invierte la posición de las manos para tratar el pie izquierdo.

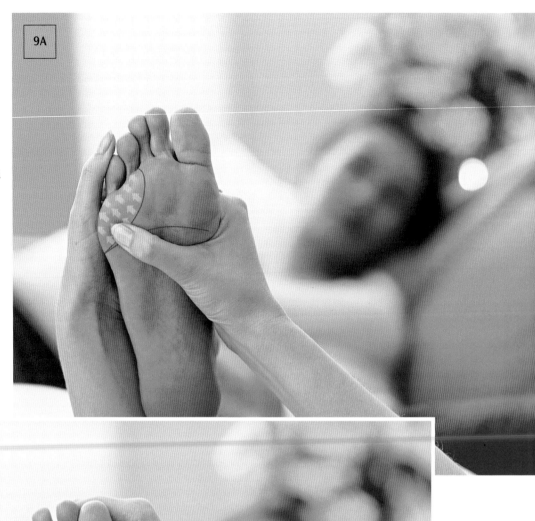

9A

9B

10A

10B

Hombro (dorsal)

Para tratar la cara frontal de la articulación del hombro, apoya el pie derecho contra tu puño izquierdo. Masajea con el índice derecho los surcos situados entre el cuarto y quinto dedo (10A y 10B), e invierte la posición de las manos para tratar el pie izquierdo.

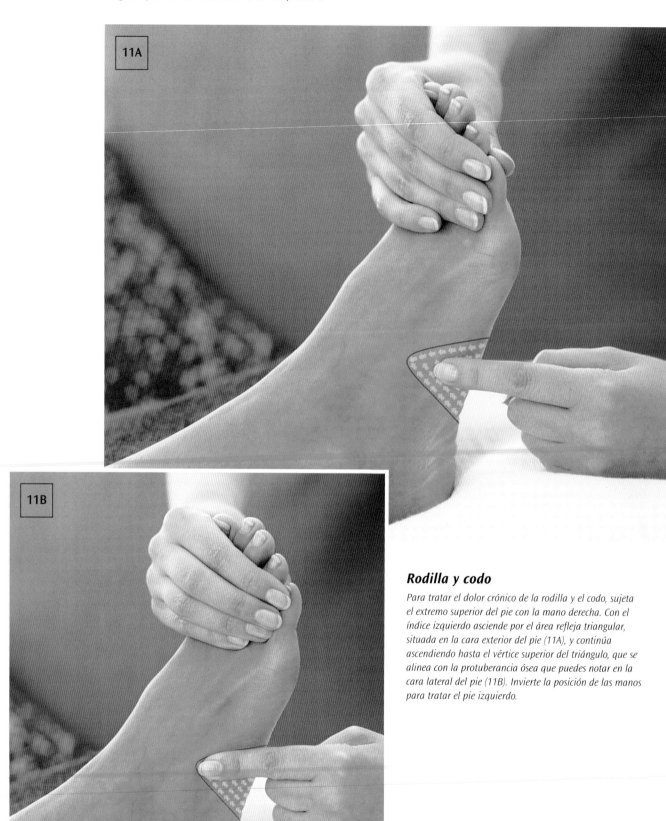

11A

11B

Rodilla y codo

Para tratar el dolor crónico de la rodilla y el codo, sujeta el extremo superior del pie con la mano derecha. Con el índice izquierdo asciende por el área refleja triangular, situada en la cara exterior del pie (11A), y continúa ascendiendo hasta el vértice superior del triángulo, que se alinea con la protuberancia ósea que puedes notar en la cara lateral del pie (11B). Invierte la posición de las manos para tratar el pie izquierdo.

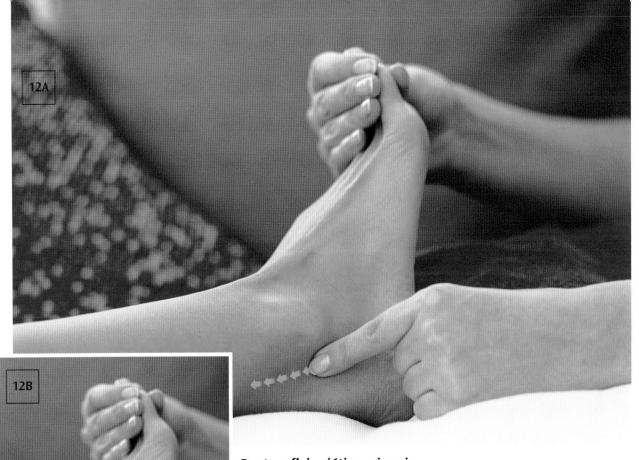

Punto reflejo ciático primario

Para tratar el dolor ciático, sujeta el pie derecho con la mano de ese mismo lado. Apoya el índice izquierdo precisamente debajo del hueso del tobillo y asciende por la pierna unos 4 cm (12A y 12B). Invierte la posición de las manos para tratar el pie izquierdo.

Punto reflejo ciático secundario

El punto reflejo ciático secundario se encuentra en el talón, entre la línea pélvica (véase página 18) y el extremo inferior del pie. Para tratar la ruta del nervio ciático, desliza el pulgar sobre esta línea dos o tres veces, imitando el movimiento de la oruga. Masajea desde el borde interior al exterior del pie (13). Invierte la posición de las manos para tratar el pie izquierdo.

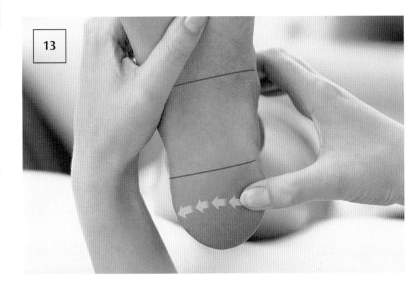

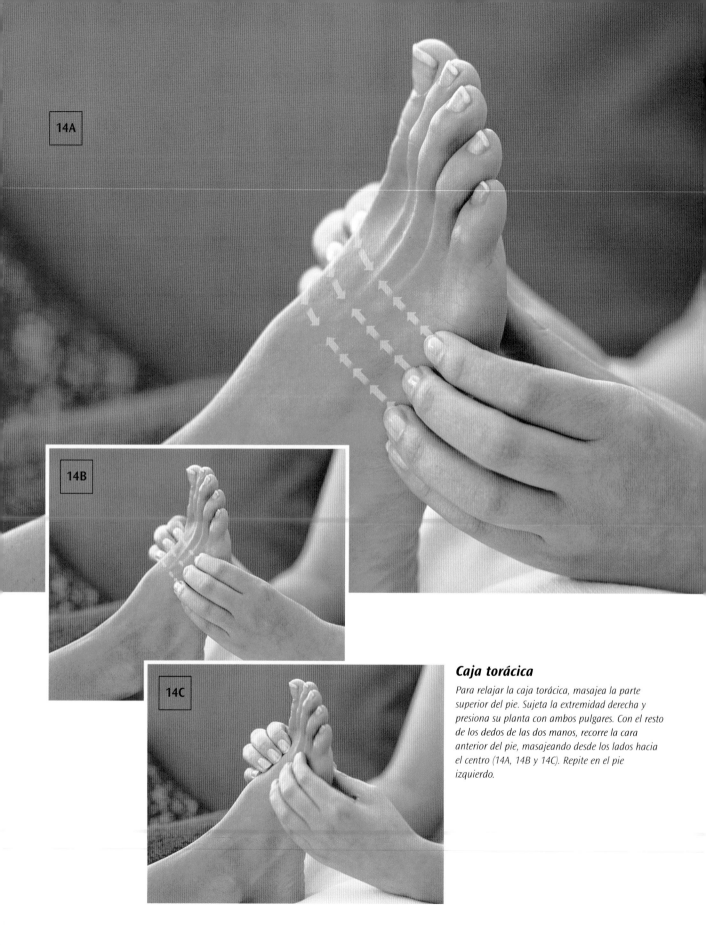

14A

14B

14C

Caja torácica

Para relajar la caja torácica, masajea la parte superior del pie. Sujeta la extremidad derecha y presiona su planta con ambos pulgares. Con el resto de los dedos de las dos manos, recorre la cara anterior del pie, masajeando desde los lados hacia el centro (14A, 14B y 14C). Repite en el pie izquierdo.

Autoayuda para el dolor de espalda

Existen puntos reflejos tanto en las manos como en los pies, pero los primeros resultan más difíciles de aislar, ya que la superficie de las manos es mucho menor. Sin embargo, merece la pena probar este tratamiento para la columna, ya que puedes hacerlo tú mismo en cualquier momento y lugar.

Apoya la mano sobre un cojín pequeño o una almohada. Con el pulgar de la otra mano, recorre toda la zona refleja espinal, partiendo desde la base de la mano y siguiendo el borde exterior del pulgar (1, 2 y 3). Cambia de mano y repite.

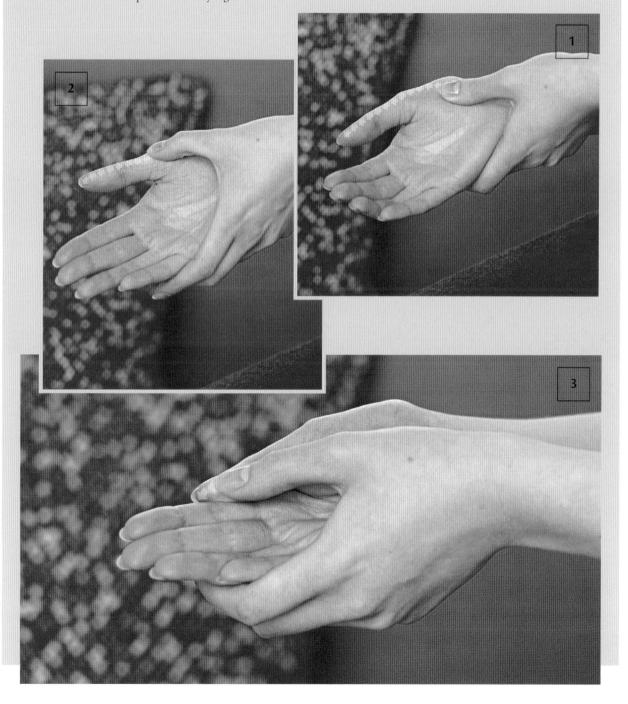

Direcciones útiles

Puede contactar con la autora para recibir más información sobre la terapia, así como los cursos que ella misma desarrolla:

Ann Gillanders

BSR (British School of Reflexology)
92 Sheering Road
Old Harlow
Essex CM17 0JW

Tel: 01279 429060
Fax: 01279 445234
Email: ann@footreflexology.com
Website: www.footreflexology.com

Si desea recibir más información para tratar el dolor de espalda:

Cuidado de la espalda

The Charity for Healthier Backs
16 Elmtree Road
Teddington
Middlesex TW11 8ST

Tel: 020 8977 5474
Fax: 020 8943 5318
Email: website@backcare.org.uk
Website: www.backcare.org.uk

Para más información acerca de cómo adquirir unos hábitos alimenticios saludables y sobre otras terapias que ayudan a combatir el dolor de espalda, contacte con las organizaciones que se detallan a continuación:

AROMATERAPIA

Aromatherapy Organisations Council

PO Box 6522
Desborough
Kettering
Northants NN14 2YX

Tel/Fax: 0870 7743477
Email:
info@aromatherapy-regulation.org.uk
Website:
www.aromatherapy-regulation.org.uk

ALIMENTACIÓN SANA

Institute for Optimum Nutrition

13 Blades Court
Deodar Road
London SW15 2NU

Tel: 020 8877 9993
Fax: 020 8877 9980
Email: reception@ion.ac.uk
Website: www.ion.ac.uk

HOMEOPATÍA

The Society of Homeopaths

11 Brookfield
Duncan Close
Moulton Park
Northampton NN3 6WL

Tel: 0845 450 6611
Fax: 0845 450 6622

Email info@homeopathy-soh.org
Website: www.homeopathy-soh.com

NATUROPATÍA

General Council and Register of Naturopaths

Goswell House
2 Goswell Road
Street
Somerset BA16 0JG

Tel: 08707 456984
Fax: 08707 456985

Email: admin@naturopathy.org.uk
Website: www.naturopathy.org.uk/

OSTEOPATÍA

General Osteopathic Council

176 Tower Bridge Road
London SE1 3LU

Tel: 020 7357 6655
Fax: 020 7357 0011
Email: info@osteopathy.org.uk
Website: www.osteopathy.org.uk

Bibliografía

Ann Gillanders es autora de otros libros sobre reflexología:

Reflexología: Fácil y rápida para todo momento
Gaia Ediciones, 2002

Reflexology: A step-by-step guide
Gaia Books, 1995

The Family Guide to Reflexology
Gaia Books, 1998

Otros títulos de la Colección CUERPO-MENTE:

ALEXANDER, Jane. *Salud en 5 minutos.*
BENTLEY, Eilean. *Masaje: Fácil y rápido para todo momento.*
LAM, Tin-Yu. *Tai chi: Fácil y rápido para todo momento.*
RODENBECK, Christina. *Meditación: Fácil y rápida para todo momento.*
WELLER, Stella. *Yoga: Fácil y rápido para todo momento.*

Para más información: *www.alfaomega.es*

Agradecimientos

Gaia Books desea agradecer a Lynn Bresler por haber corregido las pruebas y confeccionado el índice alfabético; a Bell McLaren, Kate Loustau, Sam Nelemans, Sarah Clive y Suzi Langhorne por posar para las fotografías; y a Jonathan Bispham (Londres) por crear los mapas de los pies.

Créditos de las fotografías: todas las fotografías sobre las técnicas reflexológicas corresponden a Ruth Jenkinson.

Otras fotografías: página 12, Digital Vision; página 13, Photodisc; página 14, Paul Forrester.

ÍNDICE ALFABÉTICO

Rutina completa: guía rápida

Relajación diafragmática	Relajación de lado a lado	Relajación de tobillo	Amasamiento metatarsal	Activación del punto uno	Fricción espinal
Mov. cir. (sujeción superior)	Mov. cir. (sujeción inferior)	Modelado de pie	Relajación caja torácica	Pecho/pulmón (plantar)	Pecho/pulmón (dorsal)
Senos	Ojo	Oído	Cuello/tiroides (plantar)	Cuello/tiroides (dorsal)	Cóccix
Cadera/pelvis	Columna (hacia arriba)	Cuello	Rotación de cuello 1	Rotación de cuello 2	Rotación de cuello 3
Rostro	Dientes	Columna (hacia abajo)	Hombro (plantar)	Hombro (dorsal)	Rodilla/codo
Cadera/pelvis (plantar)	Ciática primaria	Ciática secundaria	Hígado	Válvula ileocecal	Intestinos
Vejiga	Útero/próstata	Trompas de Falopio	Ovarios/testículos	Corazón	Estómago	Colon sigmoideo